민달이의
아프리카 여행

이집트에서 남아프리카공화국까지

민달이의
아프리카 여행

글, 사진 장민욱

마음세상

들어가며
가자, 아프리카로

내 직업은 요리사다. 대기업에서 일하며 오직 요리밖에 관심이 없었던 시절이 있었다. 처음으로 떠난 태국에서 여행의 매력에 빠져 지금까지 30여 국을 여행하게 됐다. 태국, 라오스, 캄보디아, 말레이시아, 필리핀, 인도, 네팔, 중국, 호주, 홍콩, 프랑스, 스페인, 이탈리아, 스위스, 오스트리아, 체코, 독일, 모나코, 일본, 에콰도르, 페루, 볼리비아, 칠레, 아르헨티나, 파라과이, 브라질, 쿠바, 카타르, 이집트, 에티오피아, 케냐, 탄자니아, 잠비아, 보츠와나, 나미비아, 짐바브웨, 남아프리카공화국에 다녀왔다.

여행을 좋아해서 요리사를 그만두고 여행사에서 일한 적이 있었다. 그러나 아무리 좋아하는 것도 일이 되는 순간 너무 싫어졌다.

지금도 요리하며 열심히 돈을 모으고 다음 여행 계획을 세우며 하루하루 재미나게 살고 있다. 인생의 목표 같은 건 딱히 없다. 하루하루 행복하게 사는 게 유일한 목표라면 목표다. 인생 뭐 있을까. 내가 행복하면 된 것 아닌가. 나중에 누구 때문에 무엇 때문에 나는 행복하지 않게 살았어, 이런 말을 할 거라면 지금부터라도 그렇게 살지 말자. 내 인생이다.

어떤 삶을 선택했던 그건 자신의 선택이다. 나는 여행이란 삶을 선택했고 그 선택에 아직까진 후회가 없다. 미래는 알 수 없지만 아마 걸을 수 있는 한 일을 하고 다시 작은 배낭을 하나 메고 세계를 떠돌지 않을까 한다.

프롤로그

여행의 시작

또 직장을 그만뒀다. 우리나라도 외국처럼 한 달씩 휴가를 준다면 열심히 다닐 텐데, 2박 3일 휴가로는 해외여행을 다녀오기에는 너무 짧다. 그래서 직장을 그만두고 여행을 간 게 몇 번이지 모르겠다. 배낭여행은 갈 때마다 좋으니 끊을 수도 없다. 아마도 떠나보지 않은 사람들은 모를 것이다. 배낭여행에서 느끼는 이 행복을……. 주변에서는 여행을 가면 무엇이 있고 뭘 배우냐고 묻는다. 난 그냥 여행이 좋고 행복하기 때문에 떠날 뿐이다.

첫 해외 여행지였던 태국에서 세상에 이런 곳이 있는지 처음 알게 되었다. 많은 여행자들을 만나게 되었고 그들의 여행 이야기를 듣게 되었다. 그 이야기들이 마치 나에게는 판타지 소설 같았다. 그렇게 시작된 나의 여행이 30여 국을 떠돌게 했다. 앞으로도 계속 떠돌지 않을까 한다. 이번에 떠날 나의 여행지는 이름만 들어도 호기심을 폭발시키는 아프리카다.

그런데 많은 사람들이 위험한 곳이라고 만류한다. 사실 나도 출발하기 전까지 긴장되었다. 그런데 막상 와 보니 이리 평화스러울 수가 없다. 여행지에서 위험한 행동만 하지 않는다면 말이다.

그동안 여러 나라를 여행하며 장거리 로컬 버스를 많이 타보았다. 그것도 지나보면 추억이지만 더는 그런 추억이 없었으면 했다. 인도에서 섭씨 40~50도를 웃도는 무더운 날씨에 에어컨도 없는 폐차 직전의 만원 버스를 탄 적이 있었다. 너무 다닥다닥 붙어 앉아 옆에 사람의 다리에서 흐르는 땀이 내 다리로 흘러 바닥에 흐르는 그런 경험은 이제 그만하고 싶었다.

여행을 다니며 버스나 기차에 대한 기억이 많다. 그중 하나가 중국의 어느 시골에서 버스를 타고 가고 있던 길이었다. 더워 죽겠는데 창문을 못 열게 했다. 시간이 지나 이유를 알게 되었는데 버스 지붕에 가득 실려 있던 닭장 때문이었다. 창문 밖이 전혀 보이지 않을 정도로 닭똥이 흘러 내려왔다. 그 긴 시간 동안 닭똥만 보면서 버스를 탔던 적도 있었다. 이번 3개월간의 아프리카 여행에서는 무슨 일이 기다리고 있을지…….

아프리카로 출발이다.

01.

3개월의 아프리카 여행
나의 준비물

이집트 — 에티오피아 — 케냐 — 탄자니아 — 잠비아 —
짐바브웨 — 보츠와나 — 나미비아 — 남아프리카공화국

숙박 사이트

www.booking.com

www.korean.hostelworld.com

www.airbnb.co.kr

지도 앱

· MAPS.ME?

아프리카로 출발하기 전에 나라별로 지도를 다운받고 간다면 오프라인에서 사용 가능한 맵이라 아주 유용하게 쓰인다. 운전 시 내비게이션 기능과 현재 내 위치 길 찾기 기능 등이 있어 아주 편리하다.

· Google map

아프리카 비자 정보

이집트 25usd (도착비자)

에티오피아 50usd (도착비자)

케냐 50usd (사전비자)

탄자니아 50usd (도착비자)

잠비아 & 짐바브웨 통합비자(KAZA) 50usd

보츠와나 (무비자)

나미비아 50usd (사전비자)

남아프리카 공화국 (무비자)

· 잠비아와 짐바브웨 방문 시 통합 비자인 Kaza비자를 받는다면 양쪽의 빅토리아 폭포 방문시 금액적으로 많이 절약된다.

(잠비아복수비자80sud + 짐바브웨 단수비자 30usd =110usd) 가 필요했지만 Kaza비자를 받는다면 50usd에 마음껏 왕복할 수 있다. 국경이나 공항에서 발급이 가능하고 타자라 기차 이용 시에는 아직까지는 받을 수 없다.

배낭 꾸리기

여행에서 배낭 무게란 누가 그랬는데 자신의 욕심만큼 가져간다고 불필요한 건 다 빼자.

긴바지, 반바지, 속옷, 수영복, 패딩, 긴팔, 반팔, 양말, 스마트폰, 보조베터리, 랜턴, 노트북, 고프로, 손톱깍기, 샌달, 보조가방, 수건, 치약(현지 구입), 칫솔, 샴푸(현지 구입), 수분 크림, 선글라스.

· 25L 배낭, 신고 있는 운동화 옷 그리고 카드와 여권 현금

· 모기장은 대부분 숙소 침대에 매달려 있어서 그다지 필요가 없다.

· 여행하다가 필요한 건 그때그때 현지에서 구입하고 필요 없어지면 게스트하우스나 단톡방에서 팔았다.

· 침낭은 캠핑할 때 빼고는 그렇게 필요하지 않은 것 같다. 벌레나 위생 때문이라면 얇은 파일침낭을 가져가면 편하다.

카드와 현금

· 아프리카 대부분 ATM이 잘 되어 있어서 대형 쇼핑몰이나 안전한 곳에서 인출하면 된다.

· 체크카드 2~3개 정도 가져가서 필요한 만큼만 이체해서 쓰던가 아님 3개의 카드에 돈을 분산해서 가지고 다녔다.

· 달러가 필요한 경우가 있는데 나는 2천 불 정도를 여행 갈 때 늘 가지고 다녔다.

기타정보

· 저가항공을 이용할 경우 짐은 추가 비용을 지불해야 되어서 샴푸 등 액체류는 현지에서 구입했다.

· 체력이 된다면 다 들고 가면 좋겠지만 필요할 때 현지에서 구입하는 방법도 괜찮은 것 같다.

· 나라마다 단톡방이 만들어져있는데 지금의 따끈따끈한 정보와 응급상황 시 많은 도움이 된다.

· 큰돈이 드는 게 아니니 나라마다 스마트폰을 개통한다면 여행 시 많은 도움이 될 것이다.

02.
아프리카 렌터카 여행

렌트 시 주의사항
렌터카 비용계산
렌터카 여행 준비물

차량 렌트 시 주의사항

아프리카 렌터카 여행이 TV 예능 프로그램에서 큰 인기를 얻으며 많은 이들이 아프리카로 여행을 떠나고 있다. 모두가 즐겁게 여행하고 무사히 돌아갔으면 좋은데, 안타깝게도 차량 사고가 자주 발생하고 있다. 특히 나미비아길은 대부분 비포장도로라 차량 전복사고가 대부분이다. 내가 여행할 때도 여러 건의 사고가 있었다.

나 또한 차가 미끄러져 아찔한 순간도 여러 번 있었다. 렌트 시 풀 커버가 되는 보험을 들어 사고 시 내 부담금은 얼마인지 꼭 확인해야 한다. 타이어를 체크하여 마모가 심할 경우 교체를 요구해야 한다.

타이어 공기압은 주유할 때 무료로 해주니 꼭 받고 그 차의 적정 공기압이 얼마인지, 오프로드시 타이어 공기압은 얼마로 해야 하는지 꼭 체크하기 바란다. 타이어 펑크가 났을 때 비포장도로에서 교체하는 것이 꽤 힘들다. 출발하기 전에 미리 교체하는 연습을 해두는 것도 필요하다.

아프리카는 우리나라와 운전대의 위치가 반대다. 출발 전에 연습해서 운전 감을 익히고 차량에 문제가 있을 때는 렌터카 회사에 연락해야 한다. 차량 견인 등의 추가 비용이 많이 발생할 수 있다.

렌터카 비용계산

① 차량 렌트비 + 보험 + 기름값 + cross boder + 캠핑용품 대여(혹은 구입)

캠핑용품을 일일이 다 사는 방법도 있지만, 아프리카 단톡방이나 카페에 보면 여행이 끝나고 떠나는 사람들이 캠핑용품을 저렴하게 내놓을 때가 많다. 그것을 구입하고 떠날 때 똑같은 방법으로 팔아도 좋다. 현지에서 중고로 구입해서 처분하는 방법이 있다. 또는 캠핑용품이 풀옵션으로 장착된 차를 빌리는 방법이 있는데 가격이 조금 비싼 편이다.

② Cross border

차량을 가지고 국경을 넘을 때 추가되는 비용을 말한다. 국가마다 다른데 비용을 요구하는 경우도 있다. 서류를 꼼꼼히 챙기지 않으면 다시 돌아 와야 하는 경우가 생긴다.

③ 차량반납

차량을 픽업하는 장소와 반납 장소가 다를 시 원 웨이(One way) 비용이 추가된다.

④ 거리제한

업체마다 다르긴 한데 대부분 하루에 주행할 수 있는 거리를 300킬로미터로 제한하는 경우가 많다. 렌트 시 거리를 계산해서 렌트할 날짜를 정해야 한다. 추가되는 킬로미터수만큼 비용도 추가되니 꼭 유념하길 바란다.

④ 렌터카 업체

www.rentalcars.com　　www.hertz.com　　www.africahire.com

나미비아 대형 캠핑샵– CYMOT (빈트후크, 스와코프문트)

렌터카 여행 준비물

잠자리 텐트, 매트, 침낭, 핫팩

식기류 : 4인용 코펠, 버너, 수저, 젓가락, 도마, 칼, 가위

바비큐 : 바비큐 그릴, 숯 집게, 고기집게, 쿠킹호일, 대형 아이스박스, 밀폐용기

양념류 : 고추장, 된장, 쌈장, 참기름, 고춧가루, 진간장, 대용량 라면스프, 통후추(바비큐용), 소금, 설탕, 카레가루

기타 : 바비큐 의자, 테이블, 차량용 충전기, 스마트폰 차량거치대 (내비게이션 용도), maps.me or google 맵 다운로드 (내비게이션으로 사용), 롤비닐팩, 위생장갑

마트에 가면 어디에서나 살 수 있는 캔으로 된 CHAKALAKA 매운맛에 참치 넣으면 고추참치 맛이 난다. 밥에 비벼 먹으면 꿀맛이다.

렌터카 여행 시 중간 중간에 휴식 공간이 많다. 그곳에서 라면을 끓여 먹기도 하고 작은 마을에 들러 빵보다 큰 패티가 들어간 햄버거를 먹어도 보고 돌고래가 뛰어노는 아름다운 바다, 높은 붉은 사막의 언덕에서의 일출, 내 눈 앞으로 지나가는 기린, 정글의 법칙에서 보던 힘바 부족과 우리의 추억의 영화에 나오는 부시맨을 보고 캠핑장에서 먹는 소고기 바비큐 그리고 쏟아지는 별들을 즐긴다. 그것만으로도 아프리카 렌터카 여행은 정말 매력이 넘치지 않을까 한다.

03.
이집트 (Egypt)

카이로 — 항공(1시간 30분) — 아스완 — (크루즈 여행 2박3일) — 룩소르 — 고버스(Gobus, 4시간) — 후르가다 — 고버스(Gobus, 8시간) — 알렉산드리아 — West&middeltabus(10시간) — 시와

라마단이란?

이슬람에서 '라마단' 은 천사 가브리엘이 무함마드에게 코란을 가르친 신성한 달로 여겨, 이슬람 교도들은 이 기간에 일출에서 일몰까지 금식 물조차도 허용되지 않는다.
가능한 라마단 기간에는 그 지역을 여행하지 않는 게 좋은데 너무 배가 고프다. 여행자라고 해서 라마단 기간에 길에서 물을 먹거나 음식을 먹는다면 끔찍한 사고를 당할 수 있으니 그 나라에 가면 그 나라의 문화와 법을 존중하고 잘 지키길 바란다.

http://nileair.com
이집트 저가항공으로 카이로, 아스완, 후르가다, 샤르멜셰이크까지 저렴한 가격에 이동할 수 있다.

gobus https://go-bus.com

이집트 관광청 www.egypt.travel

아프리카 여행의 시작,
이집트 카이로(Cairo)

한국에서 출발해서 이집트까지 3번의 환승을 거쳤다. 거의 40시간이 걸렸다. 대부분이 저가항공이라 화물로 부치는 짐은 추가로 돈을 더 지불해야 하기 때문에 기내 반입 기준인 7킬로그램에 맞추느라 불필요한 짐은 다 뺐다. 그래서 샴푸 등은 현지에서 구입하기로 했다. 물 한 모금 주지 않고 영화를 보거나 게임도 할 수 없는 저가항공이라 장거리 비행을 하기 위해서는 많은 인내와 끈기가 필요했다. 그나마 스마트폰에 저장해놓은 음악과 영화가 있어서 버틸 만했다. 하지만 허리가 쑤시고 엉덩이도 서서히 감각이 없어져 가는 것 같았다. 중간에 너무 힘들어서 앉았다 일어나기를 여러 번했다. 아! 시간이 왜 이리도 안 갈까. 다음에는 돈 많이 벌어서 좋은 비행기의 퍼스트클래스를 한 번 타 보고 싶다는 생각이 간절해졌다. 하지만 내 성격에 돈이 있어도 아마 안 타지 싶다.

인천에서 출발해서 첫 환승지인 마닐라에서 긴 대기시간을 보낸 후, 2시간이 연착돼서 카타르를 거쳐 이집트 카이로로 도착했다. 하늘에서 본 이집트는 온통 뿌연 사막뿐이었다. 도착 비자를 받고 ATM에서 3,000파운드를 뽑아 공항 내 Vodafone 매장에서 휴대폰을 개통하려니 벌써 사람이 한 가득 모여 있다. 아무래도 시내에 가서 만들어야 할 것 같다.

한국에서 출발하기 전에 숙소 픽업을 예약을 해놓았는데 벌써 출구 쪽에 호스텔 직원이 피켓을 들고 나를 기다리고 있었다. 누가 나를 기다리고 있는 게 이렇게 좋을 수가 없다.

숙소에 도착했는데 체크인 시간이 안 됐다며 기다리라고 했다. 배도 고프고 해서 동네 구경을 다녔다. 이 거리, 저 거리를 다니다 보니 Vodafone 매장이 보여 휴대폰을 개통했다. 이제 길거리에서도 인터넷이 펑펑 터진다. 길 가다 샌드위치를 하나 사 먹었는데 '아이시' 라는 빵에 채소와 튀김을 넣은 건데 아마 이집트를 여행하며 자주 먹지 않을까 하는 생각이 든다. 어떤 음식을 시켜도 아이시는 늘 같이 나온다.

내일 아침 일찍 버스를 타고 기자 피라미드에 갈 예정이었다. 미리 길도 알아볼 겸 힐튼 호텔 근처에 있다는 정류장으로 걸어갔는데 정류장 위치를 잘 몰라 근처에 있는 고버스(Go bus) 오피스로 들어가 길을 물어봤다. 바로 앞 고버스(Go bus) 정류장 옆 버스들이 많이 몰려있는 곳이 있는데 그곳에서 타면 된단다.

버스 번호는 아랍어로 되어 있어서 이집트 여행을 떠나기 전에 미리 간단한 숫자랑 인사말 정도는 아랍어로 알아두는 것이 좋다.

3시간쯤 걸어 다닌 후 시간을 확인하니 체크인 시간이 훌쩍 넘어 있었다. 드디어 침대에서 잘 수가 있겠다는 생각이 들었다. 다합 호스텔은 건물 옥상에 쉬는 공간인 정원이 있었다. 샤워 시설이나 주방 등 나름 편의 시설도 잘 되어 있어서 괜찮았던 숙소였다.

숙소에서 잠깐만 잔다고 눈을 붙였는데 일어나 보니 오후 6시였다. 배가 고파 근처 식당 'Felfela'에 가서 세트 메뉴를 테이크아웃했다. 숙소 옥상에서 먹으면서 이집트 단톡방에 내일 피라미드 같이 갈 사람 있나 물어봤다. 그러자 두 분이 내일 카이로에 도착한다고 같이 가자고 했다. 그분들도 저녁 늦게 이 숙소에 도착한다고 했다. 그날 저녁에 이번 여행의 첫 동행이 생기게 됐다.

예쁜 두 직장인 여자분들이었는데 남미에서 인연이 되어서 이번에도 휴가를 맞춰서 함께 이집트에 왔다고 했다. '나도 휴가만 이리 길게만 주면 회사를 안 그만 둘 텐데…….' 하는 생각이 들었다.

다음 날 아침 일찍 간단히 식사를 하고 버스를 탔다. 드디어 기자 피라미드로 간다. 버스를 탈 때 "피라미드! 피라미드!" 라고 외치면 현지 분들이 잘 알려준다. "기자!" 라고 물어보면 기자역으로 가는 버스를 가르쳐준다. 버스를 타고 나서도 긴장을 늦추지 말아야 한다. 버스비를 비싸게 받는다던지, 호객꾼들에게 휘말려서 사기를 당할 수도 있다. 카이로에서는 숙소를 나오는 순간부터 조심하자.

가까운 거리일 것 같았는데 1시간 정도 걸렸다. 저렴한 가격에 시티투어까지 할 수 있으니 이게 버스의 매력이 아닐까 한다. 그때쯤 창가 너머로 피라미드가 보이기 시작했다. 아, 드디어 피라미드를 보게 되는 구나!

피라미드는 가까이에서 보는 것보다 멀리서 볼 때가 더 멋있던 것 같다. 티켓을 끊고 들어가자마자 블로그에서 봤듯이 사람들이 계속 따라붙는다. 일단 무조건 직진이다. 말 거는 사람들은 다 장사꾼이다.

한 명이 다가오더니 무슨 천 같은 걸 선물이라고 준다. 됐다고 해도 막무가내로 내민다. 주거니 받거니 하다 "진짜 공짜 선물이야?"라고 물으니 "예스!"란다. "땡큐!" 하고 그걸 갖고 뛰었더니만 그 친구가 놀라서 뛰어온다. 공짜라며 왜 그러는 거냐고 물으니 당황한 그 친구가 "나, 이것을 팔아서 밥도 먹어야 하고 가족도 보살피고 해야 한다." 고 말한다.

이번엔 선글라스를 낀 키 큰 남자가 다가오더니 자기는 이곳 피라미드에서 일하는 직원이라며 사진이 멋지게 나오는 포인트가 있다고 우리를 안내해준단다. 너무 자연스럽게……. 이 친구를 보내고 나니 이번에 낙타꾼, 말, 마차까지 끊임없이 온다. 그냥 입구에 정가제로 붙여놨으면 여행자들도 좋고, 이 사람들도 이리 안 해도 될 텐데 말이다.

피라미드를 돌아다닐 때에는 나처럼 무조건 직진 본능으로 걷는 것보다 입구에서 파노라마 포인트, 다시 스핑크스가 있는 후문까지 마차 등을 이용해서 다니는 게 편하다. 그늘 한 점 없고 타죽을 것 같은 태양이 쏟아지는데 어디 한 곳 그늘진 곳이 없다. 여행하다 보면 가끔씩은 장사꾼들의 얘기를 들어볼 필요도 있는 것 같다.

끝내 우리도 마차를 탔고 후문까지 갔는데, 우리도 처음부터 탈 걸, 하는 생각이 들었다. 너무 뜨거웠고 몸도 힘들었다. 장삿꾼들 때문에 마음도 지쳐갔다. 이집션 박물관으로 가는데 우버를 부르는 것도 짜증나서 근처 세워져 있는 택시를 타려는데 택시비를 너무 비싸게 불렀다. 다들 내가 부르는 가격에는 못 가겠다고 한다. 일단 시원한 생과일주스 한 잔 마시고 다시 생각하기로 했다. 시원한 게 한 잔 들어가니 살 것 같았다. 그때 택시기사 한 명이 주스 가게에 오더니 자기 차에 타란다. 바로 출발!

차도 너무 막히고 거리도 꽤 멀었다. 마음이 약해진다. 도착해서 팁으로 조금 더 드렸더니 밝게 웃으며 "슈크란!" 이라고 말하고 갔다. 박물관이나 유적지에만 오면 왜 이리 피곤한지 모르겠다. 그래도 여기까지 왔는데 보고는 가야겠다는 생각이 들었다. 설명도 쓰여 있지 않고 다들 비슷비슷해 보인다. 그런데 박물관 화장실에 다녀와 손을 씻는데 어린 남자애가이 나보고 팁을 달란다. 기차역이나 이런 곳은 이해하겠는데 비싼 입장료까지 내고 들어왔는데 화장실까지 돈을 내고 써야 하다니. 1 파운드 주고 나오는데 밖에 앉아 있던 여자애가 자기도 달란다.

동행자들도 재미가 없는지 하품만 한다.

"우리, 다른 곳으로 갈까요?"

바로 콜! 우린 바로 시타델(Citadel)로 향했다. 시타델은 영화 '킹덤 오브 헤븐'에서 나오는 아랍의 전설적인 영웅 살라딘이 십자군의 전쟁으로부터 이집트를 지키기 위해 만든 요새라고 한다. 여기는 5시에 문을 닫기 때문에 둘러보려면 3시간 전엔 들어가야 다 둘러볼 수 있다. 올라가니 웅장한 모스크와 카이로 시내가 내려다보이고 저 멀리 피라미드까지 보였다. 그리고 여행에 빠질 수 없는 시장구경을 가기로 했다. Khan al-khalili bazar로 출발했다. 카이로 최대 규모의 시장인데 골목골목마다 기념품, 보석세공품 향수, 향신료 등이 가득했다. 주변에 아름다운 모스크까지 여기저기 구경 다니는 것도 재미있는데 그냥 길에 앉아 지나다니는 사람들 보고

만 있어도 재미있는 곳이다.

다 좋은데 길거리 음식이 많이 없어서 조금 실망했다. 일단 재래시장하면 먹거리가 많아야 하는데. 이것저것 집어먹는 재미가 재래시장이 아니겠는가.

숙소로 돌아오는 길에 Kazaz에 가서 그리 맛나다던 따진 등등 풍성하게 시켜놓고 먹는데 여기는 뭘 먹어도 다 맛있는 것 같다. 잘 먹는 것도 복이라고 했는데 난 복이 많은 것 같다.

여행 팁

· 카이로 출발 전 숙소 예약할 때 공항 픽업도 같이 신청하길 추천한다. 공항에서 오실 때 시비가 많다.

· 피라미드 구경할 때 태양을 피할 곳이 없다. 마차를 타고 입구에서 파노라마 포인트 후문 스핑크스까지 오는 코스로 가격 협상을 잘해서 타고 다니는 게 좋다. (협상 증거를 남기면 나중에 시비가 생길 때 유용하다.)
· 카이로는 우버로 다니는 게 편하다. 차도 깨끗하고 에어컨도 빵빵 나온다. 시비도 없다.
· Citadel은 5시에 문을 닫기 때문에 3시간 정도 일찍 도착해야 천천히 구경할 수 있다.

숙소추천 DAHAB HOSTEL

너무 뜨거운
아스완(Aswan)

헉! 이곳은 너무 습하고 뜨겁다. 50도는 되는 것 같다고 생각했는데, 정말 50도다. 이런! 아스완에 오기 전 그 유명한 만수 아저씨한테 미리 연락을 하고 온 게 다행이다. 아저씨가 공항으로 픽업하러 왔는데 차도 좋은데 에어컨까지 빵빵하다. 한국인들 사이에서는 유명한 분이었다. 직접 만나보니 왜 이리 유명한 지 알 수 있었다. 친절하고 매너도 좋았는 데다 다른 장사꾼들처럼 바가지를 씌우려고 하지 않았다.

숙소도 저렴한 가격에 잡아주고 펠레 신전 미완성 오벨리스크 등도 본인 차로 이곳저곳을 구경시켜 주었다. 내일 새벽 일찍 아부심벨 투어 갈 때 도시락도 준비해준다니 감사할 따름이다. 그냥 만수 아저씨가 여행사를 만들어도 될 것 같다.

아저씨에게 내일 아부심벨 투어하고 바로 2박 3일 나일 크루즈 예약할

수 있느냐고 하니까 좋은 가격에 크루즈까지 예약을 해주었다. 아스완은 아부심벨 투어나 펠루카 투어보다 이 초호화 2박 3일 나일 크루즈가 최고인 것 같다. 이렇게 저렴한 가격에 5성급 호텔 크루즈를 타고 아스완에서 룩소르로 가는 여행인데 모든 식사가 호텔 뷔페로 제공된다. 수영장에 라운지 카페 중간중간에 내려서 유적지 등 관광도 할 수 있다. 방은 또 얼마나 좋은지 아스완 여행에서는 빼고 가기에는 정말 아까운 여행이 아닐까 한다.

여행팁

아스완에 가면 2박 3일 나일 크루즈 강추한다. 모든 식사 뷔페로 제공되고 중간 중간 내려서 관광도 할 수 있다. 배에 타기 전에 과자, 물, 음료 등을 준비하면 더 좋을 것이다. 정말 저 가격에 크루즈 여행은 어느 나라에서도 할 수 없을 것이다.

숙소추천 Tiba Hotel Aswan

룩소르(Luxor)

룩소르에 도착하기 전에 여기에도 한국 사람들에게 유명한 만도라는 현지 분에게 연락해서 서안 투어를 예약했다. 그는 무척 친절했다. 여행 중에 만난 사람들이 룩소르에 가면 만도 아저씨를 찾으라는 이유가 다 있었다.

서안 투어는 왕가의 계곡 등을 돌아보는 것이다. 이렇게 저렇게 투어해라말이 많은데 그냥 여행사 단체 투어가 좋은 것 같다. 왕가의 계곡인 파라오의 무덤들이 있는 곳 그리고 이집트 유일의 여자 파라오인 하트셉수트의 장례 신전인 하트셉수트 장제전은 내가 본 신전 중에서 가장 웅장한 신전이었다. 아스완 룩소르는 신전과 왕들의 무덤을 보는 여행인 것 같다. 가이드가 이 뜨거운 더위에 땀 뻘뻘 흘려가며 열성적으로 설명해줬는데 안타깝게도 아무 것도 기억나지 않는다. 유일하게 기억나는 건 조금

더 있으면 더 뜨거워진다는 것이다. 60도까지 올라간다고 들은 것 같다.

여행팁

룩소르 오면 저렴한 가격에 새벽에 열기구 꼭 타보세요.

숙소추천 Bob Marley Peace Hotel Luxor

아름다운 바다의 도시, **후르가다**(Hurghada)

아침 일찍 고버스(GO BUS)를 타고 후르가다로 떠났다. 후르가다는 아름다운 바다가 있는 해변 도시다. 많은 여행자들이 이곳에서 올 인클루시브 호텔(All inclusive hotel)을 이용한다. 저렴한 가격에 숙박하는 기간 동안 모든 서비스가 무료로 제공된다. 모든 식사가 최고급 뷔페로 제공된다. 술, 음료 등 모든 것이 무료다. 바닷가 옆 수영장은 또 얼마나 넓고 아름다운지 숙소 테라스에서 앉아만 있어도 행복했던 곳이다.

후르가다의 바다는 푸른색이 아닌 진한 파란 색의 바다인데 너무나도 투명하고 맑다. 내가 배낭여행을 하는 건지 고급 패키지 여행을 온 건지 모를 정도다. 또 하나의 감동 고급요트를 타고 가는 스노 쿨링이다. 저렴한 가격에 럭셔리 2층 요트를 탈 수 있었다. 식사와 디저트가 포함되어 있었다. 운이 좋으면 돌고래와 수영도 할 수 있었다. 바나나보트에 땅콩보

트까지 그리고 저 아름다운 바다에서 스노 쿨링까지 할 수 있으니 정말 세계 최고인 것 같다.

숙소에 돌아와서 음료수 한 병을 들고 바로 수영장에 풍덩 빠졌다. 나 배낭 여행자가 맞아! 그런데 어느 나라에서 이 가격에 이런 걸 누려보겠는가. 여기가 천국인듯 싶다. 이래서 난 여행을 못 그만두나 보다.

여행팁

후르가다에 오면 All inclusive hotel을 이용해보길 추천한다. 어느 나라에서 이 가격에 불가능한 듯하다.
스노클링- 후르가다 스노클링은 안 하면 너무 아까운 것 같다.

숙소추천 Sunny Days Palma De Mirette Resort & Spa

별이 아름다운
시와사막(Siwa)

시와사막을 가기 위해서는 알렉산드리아에 아침 일찍 도착해야 했다. 그래서 저녁 늦게 출발하는 버스를 미리 예약해 놓았다. 그런데 호텔 체크 아웃하고 그 시간까지 카페 등에서 힘들게 버티느니 돈을 조금 더 내고 버스 시간까지 체크아웃을 연장하고 수영장에서 놀고 방에서 쉬다가기로 했다.

저녁에 맛난 뷔페를 먹고 맥주까지 한 잔하고 있다 보니 어느 새 버스 시간이었다. 이번 여행에서 또 이런 고급스런 호텔에서 머물 수 있으려나 모르겠다. 삐걱거리는 백패커스 도미토리 2층 침대가 나를 기다리고 있을 지도 모르겠다.

알렉산드리아에 아침 일찍 도착해서 8시 30분에 버스를 타고 시와 로

출발했다. 다행히 해가 떨어지기 전에 도착했는데, 시와는 지금껏 보던 이집트와는 다른 모습이었다. 한적한 시골의 느낌이었다. 난 이런 분위기가 너무 좋았다. 더 어두워지기 전에 숙소를 찾기로 했다. 이 동네에는 리조트는 몇 개 보이는데 저가 숙소가 잘 보이지 않았다. 인터넷 블로그를 찾아 보니 근처에 저렴한 숙소가 한 곳을 찾을 수 있었다. 그런데 그곳은 가격은 정말 저렴하지만 서비스는 열악했다. 모기는 밤새 얼마나 잡았는지 잡아도 잡아도 계속 나올 정도였다. 그리고 그 무서운 베드버그까지 있었다.

심지어 화장실 샤워기에는 물이 나오질 않는다. 수도꼭지도 아래에 달려 있어 샤워하는 것이 너무 불편했다. 청소는 얼마나 안 했는지 화장실 안에 낙엽과 흙이 있었다. 이건 너무하다. 화장실 변기에는 변기 커버도

없었다. 잠결에 앉는 순간 엉덩이가 변기통에 퐁당 빠지면서 잠도 깨지 않은 새벽에 샤워를 쪼그려서 하는데 모기는 그 틈에도 나를 한 번 더 빨아 보려고 앵앵거린다. 나는 그걸 또 잡겠다고 벌거벗고 수건을 휘두르는 이 현실이 너무 싫었다. 시간이 지나니 모기들도 먹을 만큼 먹었는지 잠시 휴식 중이고 베드버그도 10방 이후로는 물지 않는다. 샤워도 한두 번 쪼그려서 하다 보니 이제 할 만했다. 변기 커버 없는 것도 이제 엉덩이 살짝 드니 할 만하다. 제발! 물만 끊기지 말아다오.

시와에 간다면 그냥 리조트 묵길 추천한다. 그날 피를 너무 빨려서 그런가 아침에 살짝 현기증까지 나는 것 같았다.시와에 온 이유는 시와 사막 사파리를 하기 위해서였다. 4륜 구동차를 타고 사막의 언덕을 오르락 내리락 비탈길을 달리는데 스릴 만점이다. 가이드가 자기 여자 친구를 태우고 와서 그런지 오늘 좀 오버하는 것 아닌가 싶었는데, 모래언덕을 오르다 차가 모래에 빠져서 아무리 파도 빠져나올 생각을 안했다.

차가 점점 더 가라앉은 듯한데 여자친구의 표정이 안 좋다. 그러자 그가 눈치챘는지 차에서 나오더니 미친 듯이 모래를 파고 차를 좌우로 흔들고 그리고 타이어 바람을 완전 뺐다. 그러자 차가 부~웅 소리를 내며 한 번에 쑥 빠졌다. 여자의 힘이란 게 이런 거구나, 생각했다.

그런데 내 돈 내고 사막 투어하러 왔는데 사실 이 친구 둘이 데이트하는데 내가 껴서 온 이 느낌은 뭘까! 운전하다가도 이 커플은 서로 보고 웃고 완전 하트 뿅뿅이다. 그 덕에 조금 더 멋진 곳에서 석양을 볼 수 있었고 가이드가 여자 친구를 위해 준비해온 맛난 과자도 맛 볼 수 있었다.

어둑어둑할 즈음 숙영장소로 왔는데 분위기가 너무 좋았다. 여기저기 불을 지펴놨고, 가운데 모닥불까지 그리고 내가 좋아하는 널브러질 수 있는 매트리스, 그리고 맛난 저녁인 치킨 바비큐가 준비되었다. 시와에는 치킨 요리가 유명한 모양이었다. 사실 처음 도착한 날 저녁도 바비큐치킨을 먹었고, 점심에도 바비큐치킨 저녁에도 바비큐치킨을 먹었다. 시와에 와서 먹은 닭이 총 몇 마리일까요! 화장실에 가면 달걀이 나올 것 같다.

저녁 먹고 커플은 저쪽으로 떨어져 꽁냥꽁냥거리고 나는 캠프 주변을 이리저리 돌아다녔다. 그러다 하늘을 보니 와~~ 엄청난 광경이 눈앞에 펼쳐졌다. 하늘에 뜬 저것들이 다 별이냐? 바로 매트리스 하나 끌고 나와서 사막 한가운데에 누웠는데 '이게 별천지라는 거구나!' 생각했다. 날이

밝아 별이 하나둘씩 사라질 때까지 잠을 못 잘 것 같았는데 꽤 빨리 잠이 들었나보다. 역시 공기 좋고 조용하니 잠자기 딱 좋다. 일단 모기가 없다.

아침에 일찍 일어나는 습관 때문에 5시쯤이면 잠이 깬다. 근데 할 게 없네. 커플은 꽁냥꽁냥하다가 잠들었는지 다정스럽게 잠들어 있었다. 물이나 확 번져버릴까 보다 생각했다. 아! 잠시 내 안의 악마가 나왔나 보다.

아침에 일출을 보러 바위 위에 올라가는데 어디서 왔는지 개 한 마리가 따라왔다. 설마 얘가 나를 물지는 않겠지, 생각했다. 얼굴을 보니 그리 나쁜 친구는 아닌 것 같다. 그 친구 덕분에 일출 사진 하나 멋지게 남기고 간다. 이렇게 나의 이집트 여행이 끝나고 다음 목적지인 에티오피아로 출발했다.

에티오피아로 출발하기 전에 카이로에서 멀지 않은 곳에서 또 테러가 났단다. 사람들은 무엇이 그렇게 밉고 싫기에 소중한 생명을 아무렇지도 않게 대하는 걸까. 사랑하기에도 모자란 시간인데 짧은 삶 동안 누구를 미워하며 산다면 너무 안타깝다. 지금까지 살면서 알게 된 것은 누구를 미워하는 마음이 큰 만큼 자신의 마음도 그만큼 병들어 간다는 거다. 자신을 위해서라도 사랑하며 살았으면 어떨까 하는 간절한 마음이다.

여행팁

· 시와로 가려면 카이로보다는 알렉산드리아가 버스가 많다. 가능하면 알렉산드리아로 가서 아침 8시30분 버스를 탄다면 어두워지기 전에 도착 할 수 있다
· 시와에서는 가능하면 리조트 묵기를 추천한다. 너무 싼데 묵었다가 베드버그와 모기에 시달릴 수 있다.
· 사막 사파리 강추한다. 사막의 밤하늘에서 별이 쏟아지는걸 볼 수 있다.

알렉산드리아에서 시와버스 (west&middelta bus) 08:30 11:00 14:00

배낭여행자들의 블랙홀,
다합(DAHAB)

배낭 여행자들에게 다합이 어떤 곳이냐고 물으면 '다합은 사랑 혹은 행복.'이라고 답한다. 한 달 또는 그 이상씩 그곳에 집을 빌려서 머물며 푸른 바다가 아닌 진한 아름다운 파란색의 바다에서 그것도 세계 3대 블루홀에서 스쿠버다이빙을 배우고 하루 종일 그 바닷가 앞 카페에서 먹고 수영하고 일기도 책도 보기도 하고 밤이면 여행자들과 밤새 여행 이야기로 밤을 지새우고 그냥 아무것도 하지 않아도 행복한 곳이 다합이란다.

그런 아름다운 행복한 곳이 다합이라고 했지만 2014년 시나이반도 타바에서 한국인을 상대로 한 테러로 인해 여행 금지 지역이 돼버렸고 그곳은 검은색으로 칠해져 버렸다. 여행에서 나의 안전보다 소중한 건 없지 않나. 이집트에서 다합은 잠시 접어두자. 언젠가 평화로운 날이 오길 기다리며…….

04.
에티오피아(Ethiopia)

아디스아바바 — selam bus(13시간) — 메켈레 — ETT미니버스(7시간) — 라리벨라 — 미니버스(4시간) — 웰디아 — 미니버스(10시간) — 아디스아바바 — sky버스(5시간) — 아와사 — 로컬 미니버스(2시간) — 딜라 — 로컬버스(6시간) — 야벨로 — 로컬버스(4시간) — 모얄레

아와사에서 모얄레 이동시 NEW BUS STATION에서 07:00 전에 출발하는 딜라행 그리고 야벨로에서 다시 갈아타서 모얄레까지 하루 만에 갈 수 있다. 에티오피아는 야간에 버스를 운행하지 않기 때문에 대부분의 버스는 새벽 일찍 출발한다.
www.ethiopia.travel (에티오피아 여행정보)

에티오피아로 떠나며

"왜 여행지로 아프리카를 선택하셨어요?"

이렇게 물을 땐 나도 잘 모르겠다. 지금껏 목적을 가지고 떠난 여행이 한 번도 없기 때문이다. 나는 그냥 여행이 좋다. 그곳에 가면 '그건 봐야지.' '그건 꼭 해봐야지.' 하는 것에 사실 크게 관심은 없다. 난 동네를 돌아다니고 맛난 음식을 먹고 좋은 사람들을 만나게 되면 같이 여행하고 얘기하는 걸 좋아한다.

그리고 빠질 수 없는 건 술이다. 난 맥주를 좋아 한다. 사람을 만나는데 술이 빠지면 좀 허전하지 않을까. 여행과 술을 좋아하는 사람들치고 안 좋은 사람을 못 봤다. 어쩌면 나만 그럴지도.

난 게스트하우스를 좋아한다. 여러 나라 친구도 만날 수 있고 마음 맞으면 동행이 되기도 한다. 가끔씩은 러브스토리가 생기기도 하고 그곳에 오는 사람들 대부분이 여행을 사랑하는 사람들이라 말 한 마디로 금방 친해질 수 있는 곳이기 때문에 게스트하우스를 좋아한다.

여행에서는 사람 사귀는데 언어보다 열린 마음이 더 중요한 것 같다. 여행은 마음이 마음에게 떠나는 거라고 누가 그랬는데. 나도 그 말에 전적으로 동의한다.

아디스 아바바(Addis Ababa)로

출발하기 전에 먼저 ETT사무실(Ethio Travel and Tour 에티오피아에서 가장 큰 규모의 여행사이다. 다나킬 투어도 거의 독점으로 하기때문에 그곳에 가기위해서는 대부분 여행자들은 이곳을 이용한다.)에 이메일을 보내서 공항 픽업과 도착하는 날 숙소를 예약했다. 어라! 그런데 도착했는데 아무리 기다려도 픽업이 안 오는 거다. 여기 공항이 조그마해서 못 찾을 일도 없다. 그러다 폭우까지 쏟아졌다. 아무래도 노숙해야 하나 보다. 그런데 공항이 너무 작아서 잘 곳이 없다. 알고 보니 나의 실수였다. 바로 옆에 조금만 걸어가면 메인 공항 터미널이 또 있단다. 난 여기서 기다리고 ETT는 거기서 기다렸던 것이다. 다행히 현지 분에게 부탁해서 연락이 닿아 픽업을 다시 하러 왔다. 고맙기도 해라. 짜증이 날 법하기도 한데 웃는 얼굴로 와 주었다. 그 늦은 새벽에 숙소까지 안내해주었다.

다음 날 ETT 사무실로 가서 좋은 가격에 다나킬 투어와 버스표를 예약하고 나오는데 거기 파실이라는 분이 맥주 한 잔을 사주겠다고 했다. 얼레! 이런 대접을 아프리카에서 받게 되나니 기뻤다. 직원 두 분하고 근처 로컬 음식점으로 가서 생맥주에 이것저것 주문했다. 무슨 부침개에 생고기 그리고 칼 한 자루를 가져다주는 게 아닌가. 부침개에 생고기를 잘라서 같이 양념에 찍어 먹는데 속으로는 탈이 나지 않을까 걱정도 되었다. 그런데 이미 손은 고기 한 점을 집어서 부침개에 쌓은 채 입에 집어넣고 있었다.

오! 육사시미였다. 이곳에서 먹어보게 될 줄이야. 그 부침개는 인젤라라는 이 나라의 주식이다. 약간 시큼한 맛이 있었다. 두 번째 요리는 화로에 담겨나오는 고기튀김이었다. 정말 맛있었다. Tips라는 에티오피아 음식인데 강추다. 맥주 안주로는 최고이지 않을까 싶다. 에티오피아 여행의 시작부터 이런 환대를 받다니. 기대가 가득이다.

다음 날 새벽 4시쯤 ETT직원이 숙소로 픽업을 왔다. 아프리카는 길이 위험해서 야간버스가 없고 새벽 일찍 차가 출발한다. 새벽 일찍 버스 타는 곳까지 데려다주고 내 자리까지 안내해주고 여행 잘 다녀오라고 인사까지 해주었다. 아프리카 여행 와서 만나는 사람들마다 다들 친절하다. 그래도 여행에서 방심은 금물이다. 늘 조심하자.

메켈레-다나킬 투어

메켈레에 도착하니 저녁 7시쯤 됐는데 숙소를 예약하지 않아서 버스 내려준 곳 근처에서 숙박했다. 안타깝게도 최악이다. 다나킬에 가는 분은 숙소 알아보고 예약하고 가길 권한다. 내가 묵은 곳은 벌레도 너무 많고, 샤워기에서 물이 나오지 않았다. 또 쪼그려서 샤워해야 한다. 쪼그려서 하는 샤워를 한두 번 하는 것도 아닌데, 물이라도 잘 나오는 게 어디냐. 샤워하다 물만 끊기지 말아다오.

다음 날 아침 ETT에서 온 픽업 차량을 타고 사무실로 가니 벌써 거기는 차량 준비로 분주했다. 5대 정도였는데 이들이 이번 다나킬 여행을 같이 가는 그룹인 것 같았다. 차량을 배정 받고 출발했다. 운전자는 레게머리를 한 요셉이라는 친구인데 레게 음악을 좋아한다고 했다. 여행 내내 차에서는 에티오피아의 레게음악을 3박 4일 동안 듣는데 에티오피아만의 독특한 음악인데 나는 뽕짝레게라고 부르기로 했다.

1시간쯤 달렸을까. 작은 동네에서 진한 커피 한 잔을 마시며 이번에 같이 떠나는 사람들과 간단히 인사를 나눴다. 어디를 가나 커피를 숯불에 로스팅해서 갈아서 주는데 커피를 좋아하지 않는 나지만 에티오피아 커피는 깊은 맛이 느껴졌다. 이번 여행을 같이 할 사람들은 독일인, 이탈리아인 이스라엘인, 미국인, 한국인이었다. 이제 본격적으로 달리기 시작했다.

첫 번째 목적지는 유황지대라는 달롯이다. 여기는 내가 본 곳 중에서 굉장히 특이한 곳이었다. 지구가 아닌 외계행성이나 있을 법한 비주얼이라고 해야 할까. 그리고 다음 목적지인 소금사막으로 출발했다. 여기는 정말 기억에 오래 남는 곳이다. 어떻게 설명해야 할까. 뜨거운 열풍에 끈적끈적해졌다. 밤새 부는 모래바람을 맞으며 밖에서 노숙을 하는데 비까지 왔다. 이런! 비마저 따뜻하다.

소금사막 야밤에 배가 아파 화장실은 못 찾겠고 인적 없는 곳에 가서 일을 치르려고 가는데 하필 주변이 탁 트여 있다. 가도 가도 사람이 보인다. 그러다가 컴컴한 장소를 발견했다. 일을 보는데 뭔가 옆에 컴컴한 게 서 있다. 아, 이런! 현지 아줌마가 바로 내 옆에 서 있는 게 아닌가! 난 엉덩이 까고 있는데, 랜턴은 아줌마를 비추고 있었다. 난 못 끊겠고 그 아줌마는 안 가고 계속 쳐다보고 있다. 이게 뭔 시츄에이션이란 말인가. 그 아줌마는 내가 일을 치르고 갈 때까지 자리를 지키고 계셨고 나는 유유히 흙으로 몇 번 덮고, "하이!" 하고 돌아가는데, 창피함이 이루 말할 수 없었다.

뜨거운 바람과 비, 모래 때문에 뜬눈으로 밤을 보내야 했다. 아침에 일어나는데 온몸은 끈적이고 모래가 한 가득이다. 일어나자마자 밥 먹으란다. 그런데 이 상황에도 밥은 왜 이리 맛있는 건지. 아! 어젯밤에 다 뺐지.

오늘은 어디 간다는데 그건 관심이 없고 샤워할 수 있는 곳으로 간다는 말에 반가웠다. 드디어 샤워를 할 수 있구나! 이제 이 끈적함과 모래를 벗겨낼 수 있겠구나 했는데 숙소에 도착하니 모두 멘붕이다. 숙소에는 물이 나오지 않는다는 것이다. 당나귀로 물을 싣고 와야 물을 쓸 수 있다고 했다. 지금 샤워하라고 통에 물을 줬는데 누가 한 번 씻은 물을 주는 듯한 느낌이라 처음엔 아무도 그 물로 씻으려 하지 않고 서로 멀뚱멀뚱하게 쳐다볼 뿐이었다. 그러다 독일 아저씨 한 분이 그 물을 들고 가면서 "THIS IS AFRICA." 라면서 샤워하러 들어간다. 그런데 샤워하고 나온 아저씨가 왜 이리 부러운 걸까. 그래서 두 번째로 샤워한 사람은 나였다. 통하나 들고 들어가서 음료수 깡통 캔으로 물을 붓는데, 왜 이리 상쾌한지! 물 한 통으로 머리를 감고 샤워하고 양말까지 빨았다. 그리고 나왔는데 그 상쾌함이란……. 그리고 구멍가게에 가서 시원한 맥주 한 잔을 마시니, 이게 행복인 것 같았다. 여행이 뭐 별 거 있나. 지금 행복하다면 그게 다인 거다. 그리고 동네 구경하러 나갔다.

난 걷는 여행을 좋아한다. 일단 어디든 도착하면 동네 구석구석 돌아다닌다. 그러다가 초등학교가 보여 문을 열고 들어갔다. 헐! 정문 앞 꼬맹이들은 문을 잠그고 저 멀리 있던 200여 명쯤 돼 보이는 아이들이 나에게 와~! 소리 지르며 달려오는 게 아닌가. 부담스러워서 나도 정문 쪽으로 달렸다. 문 앞에 꼬맹이들이 문고리를 잡고 열어주려 하지 않았다. 축구공 하

나를 사 주면 열어준다고 한다. 그런데 뒤에 엄청난 꼬마들이 달려오고 있었다. 일단 벗어나야겠다 싶어 겨우 문을 열고 나왔는데 다행히 밖으로까지는 나오지 않는다. 꼬마들이 이리 무서울 수가.

근처에 과일 파는 곳이 있어서 망고라도 살까 해서 갔는데 주스 사진이 붙어 있어서 망고 주스 되냐니까 된다고 바로 망고 5개를 가지고 들어가는 거 아닌가. 헐! 이거 망고 한 잔에 망고 5개를 넣는다니 엄청 비싼 거 아닐까 생각했다. 하지만 마셔 보니 물 한 방울 안 섞인 오리지널 망고주스가 이리 싸다고 말이 되나 싶을 정도로 맛있었다. 망고 주스 한 잔에 또 감동이 몰려온다. 떠나기 전에 다시 한 잔하러 와야겠다고 생각했다.

다음 날 드디어 다나킬 투어의 하이라이트인 용암을 보러 가는 날이다. 눈앞에서 용암이 흐르는 것을 보게 되다니 기대되었다. 한참을 달렸다.

모래사막을 질주하고 울퉁불퉁한 바위 오르막길을 오프로드 차량으로 묘기 하듯이 올랐다. 그러더니 군인들이 모여 있는 베이스캠프로 도착했다. 낙타에 매트리스 등 무거운 짐을 싣고 정상으로 출발한다. 정상에 오르자 붉은 연기가 저 곳이 살아있는 화산이 있음을 알려준다. 우리는 가이드의 뒤를 따라 그곳으로 서서히 걸어갔다. 지금 우리가 걷는 이 바닥도 용암이 굳어서 만들어진 곳이라 쉽게 푹푹하고 부서지고 그 아래에서 뜨거운 열기가 올라왔다. 얼마 전에도 분출이 있었다고 한다.후덜덜 떨렸다.

정상에 올라 분화구 아래를 보았다. 용암이 흐르는 게 보이는데 그 강렬함과 신기함은 이루 말할 수가 없다. 감동도 잠시 바람의 방향이 바뀌며 붉은 연기가 우리 쪽으로 덮쳐왔다. 가스 냄새가 장난이 아니다. 피하고 보기를 여러 번했다. 가스 냄새가 독했다. 이 세상과 작별할 것 같은 냄

새다.

용암을 몇 번 더 보겠다고 그 가스를 맞아가며 보는데, 나중엔 냄새가 너무 심해서 철수했다. 가이드가 말하기를, 저 용암에 빠져서 떠난 여행자가 여럿이라고 한다. 후덜덜이다.

정상 근처 우리가 잠잘 곳엔 벌써 낙타에 싣고 온 매트리스를 깔아놨다. 이런 경험을 언제 해보겠는가. 잠자는데 화산이 터지는 건 아니겠지 살짝 겁이 나긴 했다. 그리고 다음 날 다나킬 투어의 마지막 여정지 소금호수와 온천을 갔다. 소금호수에서는 가만히 있으면 몸이 둥둥 뜬다. 그것보다 어제의 끈적끈적함을 다 씻어낼 수 있어서 너무 좋았던 곳이다.

여행 팁

· 다나킬 투어를 한다면 에티오피아 도착 전 미리 연락해서 공항 픽업 을 요청하면 편하다. ETT 이메일 ethiopiatravel@gmail.com

· 다나킬 투어 갈 때 작은 아이스박스 가져가면 도움 많이 된다. 마지막 날 용암 보러 가는 날 정상에서 갈증이 심해져 다들 맥주1캔에 100달러라도 사 먹을 것 같은 심정이 된다.

· 용암 보러 갈 때 셀카봉 가져가면 분화구 안의 용암을 찍을 때 요긴하게 쓰인다. 본인 찍으실 때는 사용하지 않는 것이 좋다. 잘못하면 불구덩이에 빠진다.

숙소추천(메켈레) Ribika Pension moringa Hotel

라리벨라(Lalibela)

메켈레에서 라리벨라로 출발

아디스아바바 ETT에서 메켈레에서 라리벨라가는 버스를 미리 예약해 놔서 바로 다음 날 출발했다. 라리벨라는 기독교 성지 11개의 암굴교회가 있는 곳인데 입장료가 50달러로 비싼 편이었다. 하지만 여기 와서 안 가 본다면 아쉬울 것 같아 들렀다. 그 돈이 가난한 사람들에게 조금이라도 전달 됐으면 하는 바람이다.

암굴교회에 갔다가 이곳에서 유명한 벤 아베바(ben abeba) 라는 곳에 가서 점심도 먹고 맥주도 한 잔하려고 천천히 걸어갔다.

독특한 구조물에 탁 트인 전망을 가진 레스토랑인데 라리벨라 오신다면 여기에서 저녁 먹으며 썬 셋까지 보고 가면 좋을 것 같다.

숙소로 돌아가는데 일이 생겼다. 내일 아디스아바바로 가는 버스가 못 가겠다고 연락이 온 거다. 출발 전에 미리 예약까지 하고 온 건데, 왜 못가냐고 물으니 내가 취소했다고 거짓말을 했다. 정말 화가 났다. 무조건 못 간단다. 느낌에 내일 가는 사람이 없어서 그러는 것 같았다. 그냥 거짓말을 하지 말고 있는 그대로 얘기해주면 이해해 줄 텐데. 여행하며 이런 일이 한 두 번이겠는가. 인도 기차여행을 해 본 사람은 알 거다. 가야지 가는 거고 와야지 오는 거다.

급 바빠졌다. 여행사들을 돌아다녀 봤는데 내일 아디스아바바 출발하는 버스는 없단다. 그럼 이번엔 호텔마다 돌아다니며 물어 봤는데 다들 없단다. 점점 어두워져 8시가 넘어 가고 있었다. 배도 고프고 짜증이 밀려 온다. 동네 꼬마들은 "10비르!" 하면서 6~7명 따라다니고, 정말 미치겠다.

한 번만 더 찾아보자고 들어간 호텔, 호텔 매니저가 한 번 찾아봐 준다고 이리저리 전화를 하더니 자기 친구가 내일 웰디아까지 가는데 거기까지 가면 아디스아바바로 가는 버스도 탈 수 있을 거란다. 새벽 4시 웰디아로 출발하는데 험한 길을 이 친구는 전속력으로 달린다. 우당탕 쿵쾅, 보이는 건 하늘의 별과 깊은 산 속의 어둠뿐이다. 이런 길에 버스가 못 들어오는 건 당연하리라.

한참을 달려 웰디아로 도착하니 이 친구가 미리 연락해놓은 합승 봉고가 기다리고 있었는데 고생길이 눈에 훤했다. 좁디좁은 봉고차에 몇 명이 탄 것일까. 좁은 뒷 좌석에 덩치가 큰 남자, 나 포함 4명이 탔는데 엉덩이가 너무 껴서 나올 때도 여간 힘든 게 아니다. 서로서로 어깨동무하고, 중간에 누가 내리겠지 했는데 모두 아디스 아바바까지 사이좋게 어깨동무하고 같이 갔다. 이번 여행 중 이보다 최악의 상황은 없기를 바랄 뿐이었다.

여행 팁

· 아디스아바바에서 다나킬 투어 예약하면서 메켈레에서 라리벨라가는 버스 미리 예약하면 편하다.
· Ben abeba 에서 저녁식사를 하면서 맥주 한 잔 추천한다.

숙소추천 라리벨라- Hotel Cliff Edge

아와사(Hawassa)

저녁 늦게 아디스아바바에 도착해서 다음 날 새벽 아와사로 이동했다. 아와사로 가는 티켓은 도착 전 미리 ETT에 부탁해서 예약을 해놓았다.

아와사는 호수가 있는 작은 도시인데 호수에 하마가 산다고 한다. 숙소 체크인하고 바로 피시마켓으로 갔는데 이름만 피시마켓일 뿐 보이는 건 생선 튀겨 파는 곳과 커피 파는 곳 그리고 이상한 커다란 대머리 새, 원숭이 밖에 보이는 게 없었다. 호숫가에는 하마 두 마리가 눈만 내놓고, 푸우푸우거리고 잔디밭에서는 애들이 축구를 하고 있었다.

여기까지 왔는데 물고기나 한 마리 먹고 가자는 생각이 들었다. 근데 이 물고기가 쫄깃하니 맛이 예술이다. 민물고기가 이리 쫄깃할 수가 없다. 한 마리만 먹고 가는 건 이 쫄깃함에 대한 예의가 아닌 것 같아 세 마리를 맨손으로 호로록 먹어치우고 입가심으로 커피 한 잔 했다. 그런데 이 커피는 왜 이리 맛있는지, 에티오피아 아줌마들은 다들 최고 바리스타

인 듯하다. 커피를 안 좋아하는 나도 에티오피아 커피는 어디 가서도 강추강추할 것 같다. 숙소로 돌아가며 구운 옥수수 하나를 뜯으면서 가는데 하늘이 심상치 않다.

아! 내 빨래. 숙소에 오자마자 샤워하며 그동안 밀렸던 빨래를 하고 옥상에 널어놨는데! 옥수수를 뜯으며 숙소로 겁나 뛰어갔다. 도착하자마자 우르릉 쾅쾅! 내 빨래는 다행히 뽀송뽀송 마른 상태로 비 한 방울을 안 맞고 가져올 수 있었다.

다음 날 아침 일찍 모얄레로 가기 위해 버스 터미널로 갔는데, 아와사에는 NEW BUS STATION 과 OLD BUS STATION 이 있는데 모얄레는 NEW BUS STATION 에서 출발하는데 모얄레로 바로 가는 직통 버스는 없고 야벨로에서 갈아타야 한다.

야벨로에 5시 이전에 도착한다면 바로 모얄레 버스를 탈 수 있고 그 이후라면 야벨로에서 1박 후 다음 날 모얄레로 가야 한다. 아와사에 딜라 가는 버스는 봉고들이 대부분인데 사람을 가능한 꽉 채우기 때문에 서로 서로 다정한 분위기로 갈 수 가 있다. 난 그 다정한 분위기는 이제 그만 느끼고 싶다.

아와사에서 먼저 딜라까지 합승 봉고를 타고 딜라에서 야벨로까지 버스를 갈아타야 한다. 야벨로 도착하자마자 바로 모얄레가는 버스로 갈아탔는데 자리가 없다. 다행히 운전사 뒤쪽 엉덩이 반 정도 걸칠 수 있는 공간이 생겨 엉덩이 반쪽만 걸치고 거의 폐차 직전인 이 버스를 타고 모얄레로 가는데 엉덩이 반쪽이 감각이 없다. 그나마 이 자리라도 뺏긴다면 그 먼 거리를 서서 가야 한다. 나는 왼쪽 오른쪽 엉덩이를 번갈아 가며 드디어 모얄레에 도착했는데 깜깜하다. 깜깜할 때에는 저녁에 돌아다니지 말랬는데……. 그것도 국경 마을이다. 스마트폰을 꺼내서 주변 호스텔 검색하는데 가까운 곳에 Cheap hotel 이라고 나온다. 배낭을 메고 빠른 걸음으로 그곳까지 직진이다. 그런데 간판들은 없고 어두컴컴한 이 분위기 이러다 털리는 건 아닌가, 두려워졌다. 아직 여행을 다니며 털려본 적이 없는데 여기 아프리카에서…….

다행히 어두컴컴한 그곳이 호텔이란다. 그 안으로 들어가니 깔끔한 정원이 나오는데 방도 나름 깨끗하고 좋았는데 모기가 편대로 날아다니고 있었다. 그래도 침대에 모기장이 달려 있어 밤새 편히 잘 수 있었다. 다음 날 아침부터 주인이 깨운다.

"너, 케냐 안 갈 거야? 케냐 국경 9시에 닫는데 빨리 가봐."

헐! 이게 뭔 소린가. 배낭 매고 바로 국경으로 뛰었는데, 숙소 주인에게 속았다. 9시에 닫을 리가 없다. 에티오피아 마지막은 뻥으로 끝나다니……. 역시 내가 알아보지 않은 정보는 일단 한번 의심해보기를 바란다.

여행 팁

· 아와사에서 모얄레로 바로 가는 버스는 없다. 아침 7시 전에 new bus station 가셔서 딜라행 타고 딜라에서 야벨로 다시 야벨로에서 모얄레로 가는 버스를 갈아타야 된다. 야벨로에서 모얄레로 가는 버스가 5시가 막차라 그거 놓치면 야벨로에서 1박하고 다음 날 가야 한다.

· 국경가면 에티오피아 돈은 케냐 돈으로 환전된다. 환전율을 잘 알아보고 가야 한다.

· 에티오피아 모얄레 가면 maps.me 에 Cheap hotel 이라고 나오는데 그 근처에 깔끔한 숙소가 있다.

숙소추천 아와사-Hawassa View Hotel

05.
케냐(Kenya)

케냐모얄레—버스(17시간)—나이로비—미니버스(8시간)—탄자니아 아루샤

· 케냐 국경을 넘자마자 조금만 걸어가면 버스사무실이
자그마하게 있는데 찾는 건 어렵지 않다.
환전할 때 미리미리 환율을 알아보고 온다면 환전 손해는 안 볼 것이다.

· 나이로비에서 탄자니아로 넘어갈 때 임팔라 등등
여행사에 찾아가서 예약할 필요 없이
숙소에서 예약 가능합니다.

케냐 모얄레에서 나이로비 버스 04:30 11:00 14:00 16:00

나이로비(Nairobi)

케냐 모얄레에서 나이로비로 출발

국경을 넘자마자 환전을 하고 나이로비에 가는 버스를 예약했다. 그리고 핸드폰을 개통했다. 버스를 타고 나이로비로 떠났다. 그런데 새벽 3시쯤 나이로비에 도착한단다. 그 위험하다는 나이로비에 그것도 새벽 3시 버스 기사에게 어디에 내려주는지 물어보고 근처 숙소를 검색하고 도착과 동시에 그곳으로 뛸 생각이었는데, 새벽 3시의 나를 내려준 나이로비에는 이 시간에 왜 이리 사람이 많은 건지 모를 정도였다. 어둡지도 않고, 길에 서 있는 이쁜 여자 분들이 윙크까지 해준다. 물론 윙크해준다고 절대 따라가면 안 된다. 큰일 난다.

나는 바로 근처에 뉴케냐롯지로 찾아가 벨을 눌렀더니 한 번에 바로 문

을 열어준다. 다행히 방이 있단다. 아저씨도 친절하다. 여행은 일단 와봐야 된다. 사람들마다 다들 경험한 게 틀리다 보니 블로그 보면 경험담도 다 제각각이고 정보들도 제각각이다.

일단 너무 피곤하다. 오늘은 아무것도 하지 말고 먹고 쉬자. 배가 고파 잠이 깼는데 10시다. 일단 나가 보기로 했다. 나이로비에는 차도 많고 사람들도 꽤나 북적인다. 국경 하나 건넜다고 에티오피아 사람들과는 다른 모습이었고 덩치들도 꽤 컸다. 시골에 있다가 도시로 온 느낌이랄까. 잠시 어지럽다. 난 한국에서도 복잡한 곳을 싫어하는데 나이로비는 빨리 떠나고 싶었다. 나이로비는 마사이마라 사파리를 하지 않는 다면 굳이 오래 있을 이유가 없는 곳이라 일단 무한도전에 나온 아프지 마 도토를 보기 위해 다음 날 코끼리 고아원으로 갔다. 코끼리 고아원은 오전 11시부터

12시까지 1시간만 열기 때문에 시간을 잘 맞춰서 가야 한다. 갈 때는 우버를 이용해서 편하게 가고 올 때는 버스를 타고 왔다. 아기 코끼리 도토는 이제 아기가 아니라 청년 정도 되어 있었고 상아도 조금씩 자라고 있었다. 아프지 마라, 도토야.

돌아올 때는 버스를 탔다. 이건 뭐 나이트 클럽이라고 할 정도로 화려한 조명이 번뜩이고 있었다. 모니터에는 섹시한 뮤직 비디오가 나오고 있었고 음악 볼륨은 최대인 것 같다. 대화는 불가능하다. 이게 시내버스란다. 나이로비 시내에 와서 내렸는데 한참 아무 소리도 안 들릴 정도였다. 몸도 음악에 쩌 들었는지 아직도 몸이 꿈틀꿈틀거린다.

걷다 보니 대형마트가 있다. 일단 구경하러 들어갔는데, 3층으로 되어 있고 규모가 꽤 컸다. 내일 탄자니아로 넘어갈 때 먹을 거랑 오늘 먹을 음식을 구입하고 계산을 하는데 너무 많이 나왔다. 이상한데 내가 보고 계산하며 샀는데, 이런 누가 물건을 잘못 올려놔서 가격이 틀렸나보다. 계산서에서 이거 빼달라고 했더니 여기선 안 되고 서비스 센터로 가란다. 근데 여기는 낙장불입 한 번 계산한 건 환불이 안 되고 그 가격만큼 딴 물건을 집어오란다. 여기 시스템이란다. THIS IS AFRICA

나이로비는 하루도 더 머물기 싫었다. 여긴 이만큼이면 충분한 것 같다. 다음 날 바로 탄자니아 아루샤로 떠나기로 했다. 대부분 숙소에서 투어 및 버스티켓 예약이 가능하기 때문에 아루샤가는 버스는 숙소에서 예약했다. 마사이마라, 세렝게티는 나라만 틀릴 뿐 같은 곳이다. 케냐는 마사이마라, 탄자니아는 세렝게티, 동물의 이동에 맞춰 두 개 중 하나를 골라서 가면 될 듯싶다.

여행 팁

· 케냐 모얄레에서 나이로비 오는 버스를 타게 되면 새벽3시쯤 나이로비에 도착하게 되는데 버스기사에게 나이로비 어디에서 내려주는지 물어보고 그 근처에서 가장 가까운 숙소에서 숙박하길 추천한다. (다음 날 좋은 숙소 찾아보고 옮기더라도 새벽은 어디나 위험하다.)

· 탄자니아 갈 때는 대부분 숙소에서 버스 예매가 가능하다. 숙소까지 픽업까지 와서 편하다.

· 나이로비도 우버가 잘 되어 있다. 탈 때 차령 번호, 차종, 드라이버를 확인하고 타야 한다.

나이로비에서 가볼 만한 곳

· DAVID SHELDRICK ORPHANAGE

무한도전에 나온 아프지마 도토가 나왔던 곳이다. 도토가 이제는 어른 코끼리가 되있다.

· langata GIRAFFE CENTER

· Cren blixen museum 영화 '아웃 오브 아프리카'의 저자가 살던 집

· The carnivore restaurant 세계 50대 레스토랑 선정

· great rift valley view point

· hell's gate national park & Naivasha 호수 툼레이더와 out of Africa 촬영지

숙소추천 new kenya lodge (가능하면 3인실 묵는 것을 추천한다. 1~2인실 바로 뒤에 클럽이 있어 밤에 소음이 있다.)

06.
탄자니아(Tanzania)

아루샤—로컬버스(2시간)—모시—로컬버스(3시간)—루쇼토—로컬버스(8시간)—다르에스살람—페리(2시간30분)—잔지바르

탄자니아는 숙소가격이나 페리가격등 달러로 지불하면 좀 더 이득이었습니다.

아루샤(Arusha)

세렝게티를 위한 아루샤

국경을 지나 세렝게티로 유명한 아루샤로 가는 길이다. 풍경 구경도 잠시 하얀 경찰복을 입은 사람이 우리 차를 세우더니 과속했다고 내리란다. 탄자니아는 제한 속도가 50km라나. 그 속도로 저 먼 곳을 언제 가라는 건지. 운전자가 경찰하고 한참 실랑이하더니 한 시간쯤 지났을까 드라이버가 오더니 몹시 투덜거린다.

벌금이 많이 나온 모양이다. 탄자니아에서는 길을 가다 보면 하얀 옷을 입은 경찰들이 많이 보이는데 함부로 촬영하다 걸리면 안 좋은 상황이 생길 수 있으니 조심해야 한다.

아루샤에 도착하자마자 버스 주변으로 수많은 사람들이 몰려든다. 모두 여행사 호객꾼들이다. 숙소까지 무료로 태워줄 테니 우리 여행사로 가서 얘기하자고, 말을 걸어온다. 일단 여기를 벗어나야 했다.

아! 정신없다. 이 친구들 정말 끈질기다. 계속 따라오는데 아무래도 내가 숙소를 찾아 들어가야 떨어질 듯 싶다.

30분 정도를 이 친구들과 같이 걷다 보니 금세 또 친해진다. 자기들은 사파리 요리사, 운전사, 가이드란다. 명함을 한 장 씩 주는데 그것만 벌써 6~7장이다. 아루샤에서 여행사는 찾을 필요 없이 그냥 숙소만 나가기만 하면 계속 따라붙는다. 그런데 다들 가격이 만만치 않다. 대부분 1박에 150~180달러 정도를 부르는데 3박 4일 투어에 600~700달러다. 거기에 요리사와 가이드 팁에 맥주값까지 거진 돈 100만 원 가까이 쓰게 생겼다. 그래서 한국인들이 많이 찾는다는 여행사를 찾아가 봤는데 가격이나 옵션 등 다른 곳과 차이가 없다. 동물을 보러 저 큰 돈을 투자하기에는 너무 아까웠다. 내가 아프리카에 동물을 보러 온 게 아니라서 한참을 생각한 끝에 세렝게티는 안 하기로 했는데 투어사들이 내 숙소를 어떻게 알았는지 방에 전화 오고 리셉션으로 찾아오고 난리다.

가격은 점점 내려갔다. 그래도 난 비싸서 못가겠다고 하니까 일단 자기 보스와 얘기해보라고 한다. 한번 마음이 떠나니까 아무리 싸게 해준다고 해도 갈 마음이 안 생긴다. 낮에 봤던 한 친구는 그날 밤 12시가 될 때까지 숙소 근처에서 안 가고 계속 문자를 보내왔다. 정말 포기를 모르는 사람들이었다. 지금 한 팀이 그곳에 가 있는데 4명뿐이라 자리가 남는데 거기에 조인하는 조건으로 싸게 해준단다. 그래도 안 갈란다. 비싼 돈을 내고 추위에 떨면서 텐트에서 자고 하루 종일 동물을 찾아 돌아다니는 건 재미가 없을 것 같다. 그러니까 그 친구도 씨익 웃으면서 내 말에 동의하는 표정이다.

여행자들을 만나며 들은 얘기인데 보츠와나 초베 사파리에 가면 충분히 만족할 거라고 가격도 너무 저렴하단다.

여행 팁

세렝게티

· 대부분 사람들이 많이 하는 투어가 3박4일
만야라호수 또는 타란기레 국립공원-세렝게티 국립공원-응고롱로고인데 투어맴버가 있다면 원하는 스팟으로 몇박을 할지 여행을 정할 수 있다.

· 아루샤에 가면 널린 게 여행사라 좋은 가격에 좋은 옵션이 있는 여행사를 선택하면 될 것 같다. 그리고 그곳이 정식으로 허가받은 회사인지 꼭 확인해야 한다.
www.tanzaniatourism.go.tz

· 차의 상태, 가이드 경력, 그리고 투어에서 제공되는게 무엇인지 꼼꼼히 체크해야 한다. 망원경, 침낭, 매트리스, 텐트 등등 .

· 너무 저렴하면 뭔가가 안 좋다고 한다. 깎고 깎아서 400달러 후반에 하는 분을 만났는데 차가 너무 노후화돼서 투어 중에 차량이 고장 나서 한참을 고생했단다. 싼 건 비지떡이고 이 세상에 공짜는 없다는 것을 새삼 깨달았다.

숙소추천 New Annex Hotel

모시(Moshi)와 루쇼토(Lushoto)

아침 일찍 킬리만자로가 있는 모시로 출발했다. 아루샤는 시골의 모습이라면 모시는 정리가 잘 되어 있는 깔끔한 시골의 읍내 정도라고나 할까. 어디나 마찬가지로 버스 터미널은 늘 사람으로 붐비고 정신없이 시끄럽다. 역시나 내리자마자 호객꾼들이 따라붙는다. 킬리만자로 가이드라나.

“킬리만자로는 비싸서 안 갈 거야. 그냥 멀리서 보는 거로 만족해.”

그러자 나 같은 여행자를 위해 킬리만자로 맛보기 데이 투어가 있단다. 아프리카는 뭐가 다들 이렇게 비싼지 킬리만자로 4박 5일 투어 비용이 1,000달러를 훌쩍 넘는다. 거기에 가이드, 포터, 요리사 팁까지 합치면 후덜덜이다. 그 돈이면 내가 인도에서 한 달간 호의호식해도 남는 비용이다. 산은 멀리서 볼 때가 가장 아름답다고 누가 그랬는데, 지금은 그 말에

잠시 동의하려고 한다. 배낭 여행자에겐 너무 비싼 가격이다. 그래도 왔는데 근처라도 가서 인증샷이라도 찍어야 하지 않을까란 생각에 달라달라 (탄자니아의 대중교통인 미니봉고인데 앞유리에 이정표가 적혀있거나 없다면 물어보고 타면 된다. 내릴 때도 내리고싶은곳에서 세워달라고 하면 내려준다) 를 타고 마랑구 게이트까지 갔는데 마랑구 게이트까지는 3킬로미터 이상을 올라가야 한단다. 오토바이를 왕복에 30분 정도 위에서 기다리는 조건으로 협상하고 출발했는데 이 길을 걸어왔으면 땀 좀 흘렸을 것 같다. 계속 오르막길이다.

드디어 킬리만자로 입구다. 몇 팀은 벌써 출발하기 위해 준비 중이었는데 포터들의 짐이 상당하다. 저 엄청난 짐을 다 짊어지고 간다니! 저리 고생해도 저들에게 돌아가는 비용은 너무 적은 금액이라고 하던데 힘든 만

큼 좀 더 나눠주지 하는 마음이다. 입구에서 인증샷 찍는 것으로 아쉬운 마음 달래고 모시로 돌아오는데 멀리서 보이는 킬리만자로를 보니 조금은 아쉽긴 하다. 그나마 오늘 날씨가 좋아서 보였지 어제까진 아무것도 보이질 않았단다. 그래 멀리서라도 본 게 어디냐.

저녁에 킬리만자로 맥주 한 잔하며 내일 다르에스살람으로 바로 가려니 조금 아쉬워 중간에 어디 갈 때 없을까 해서 찾아봤더니 탄자니아의 스위스라고 불리는 루소토라는 곳이 있었다. 얼마나 아름답길래 그리 불릴까란 생각에 내일 일단 가보기로 했다. 그런데 다음 날 아침 버스를 타려는데 루소토라는 단어가 생각이 나질 않았다. 현지인들에게 다르에스살람 가는 길에 아름다운 곳이 있다는데 어딘지 아느냐고 물었더니 BUMBULI가 그리 좋다고 하는데 나도 순간 거긴가 했다. 일단 버스는 출발 꼬불꼬불 우거진 계곡을 지나 산으로 산으로 점점 높이 올라가는데, 내가 맞게 가는 건가라는 생각이 머리에 계속 맴맴 돈다. 한참을 정글 속을 달린 버스는 나를 SONI라는 완전 시골 동네에 내려줬고 다들 외국인이 신기했는지 내 주변으로 몰려든다. 여기가 어딘가. 나도 모르겠다.

일단 달라달라를 타고 BUMBULI로 가는데 출발하자마자 질퍽거리는 산길로 달리기 시작한다. 얼마나 멋진 곳 이길래 이리 깊은 산 속으로 들어갈까 점점 더 깊은 산 속으로 들어가는데 우리네 아주 오랫 옛날 풍경이 펼쳐진다.

정말 깊은 산 속 시골 마을이 나타나는데 여기가 BUMBULI 란다. 아무것도 없다. 작은 마을에 산과 그리고 산이다. 내가 이곳에 최초로 온 외국인이지 않을까 생각한다. 이 깊은 산 속에 여행자들이 들어올 리가 없다. 그래도 왔는데 둘러나 보고 숙소가 있는지 찾아봤다. 동네 사람들이 내가 너무 신기한가 보다. 나도 내가 여기 온 게 신기하다. 마을 구멍가게라고 생각되는 곳에서는 생선을 말려서 팔고 있었고 사탕도 플라스틱 통 안 에 몇 개 보였다.

식당이라고 생각되는 곳은 가스 불이 아닌 장작으로 감자튀김을 만들고 있었고 이 동네 유일한 허름한 호텔은 겉모습만 봐도 사람이 안 살 것 같은 느낌이다. 아차! 그때 루소토라는 단어가 생각이 났다. 잘못 왔구나! 어쩐지 뭔가 이상하더라. 빨리 이 마을을 내려가야 된다. 그런데 내려가는 버스가 없네. 어쩌나 싶었는데 구멍가게에 서 있는 젊은 친구가 자기 오토바이로 데려다줄 수 있다고 한다. 달라달라 비용보다는 많이 들었지만 여기를 나올 수 있는 게 어딘가. 그런데 그 험한 길을 1시간이 넘게 오토바이를 타고 내려오는데 완전 후덜덜이다.

이 친구가 프로페셔널이라서 그렇지 일반인이었으면 계곡으로 굴러 떨어졌을지도 모를 일이다. SONI까지 무사히 도착해서 오토바이에 내리는 순간 온몸이 아직도 그 덜컹거림에 부르르 떨리는데 주저앉을 뻔했다.

다행히 루소토는 여기서 그리 멀지 않았다. 한 번에 가는 달라달라도 있었다. 날은 점점 어두워지고 루소토에서 숙소를 찾는 것도 일이었다. 루소토에 도착했더니 장이 열리는 날인지 거리마다 옷, 과일 등 팔고 시끌벅적했다. 거리의 식당에서는 무슨 고기인지 통째로 숯불에 굽고 있었고 감자튀김은 산처럼 쌓여 있었다. 구운 옥수수에 계란으로 만든 팬케이크에 꼬치구이까지 그리고 이 맑 은공기, 이것만 해도 루소토는 충분히 만족이다. 다르에스살람으로 가기 전에 시 골마을인 루소토에서 하루 이틀 쉬어 가는 것도 좋지 않을까 한다.

여행 팁

킬리만자로 트레킹
가장 많이 찾는 루트는 편하게 오를수 있는 4박5일 마랑구루트다.
마랑구입구(1980M)-만다라산장(2700M)-호롬보산장(3700M)-키보산장(4700M)-우후루 피크(5895M)-마랑구 입구
5,000미터가 넘는 고산지대 등산이라 고산 적응을 하며 조금 여유롭게 올라가는 것도 좋은 방법 일 것 같다. 고산 트레킹시 체력이 좋다고 고산병에 걸리지 않는 게 아니기 때에 본인 페이스를 잘 유지하면서 고산적응하면서 천천히 올라가는 것이 좋다. 예전 희말라야 트레킹시 MBC에서 고산 증세가 없어서 다음 날 ABC까지 빠르게 올라갔더니 바로 엄청난 두통으로 고생한 적이 있는데 고산 증세가 심하면 무조건 내려오는 방법밖에 없기 때문에 힘들게 간 킬리만자로 정상을 못 올라갈 수도 있다. 고산 증세가 심하면 죽을 수도 있기 때문에 절대로 무리한 산행은 하지 말자.

숙소추천 모시 We Travel Hostel 루쇼토 Tumaini Hostel

탄자니아의 꽃,
잔지바르(Zanzibar)

내가 탄자니아에서 정말 가보고 싶은 곳은 이름만 들어도 설레는 잔지바르였다. 바다를 좋아하고 섬을 좋아하는 나에겐 언제나 아프리카에서 가보고 싶은 곳 1순위였다. 잔지바르의 첫 느낌은 내가 생각한 이상으로 너무 좋았다. 왠지 쿠바 아바나의 느낌이 있는 스톤타운 그리고 너무나도 아름다운 능귀 파제 잠비아니의 바다, 그리고 사람들. 잔지바르의 그 느낌만으로 이번 아프리카 여행은 나에게 충분한 행복인 것 같다.

누구랑 같이도 좋겠지만 혼자 걷는 스톤타운의 미로 같은 골목, 해 질녘 능귀해변에서 바닷가를 걷고, 티 없이 맑은 아이들과 잠비아나의 바다에서 같이 뛰어 노는 것만으로도 잔지바르에서의 여행은 혼자여도 정말 행복했던 것 같다. 내가 여행 다니며 다시 가고 싶은 곳 중 하나인 잔지바

르다. 내가 잔지바르를 여행했던 시기가 이슬람의 라마단 기간이었는데 잔지바르는유독 심한지라 여행자들을 위해 그 기간에도 음식을 파는 식당이 있었지만 한국인들이 어찌 아침에 빵 한 조각만 먹고 살 수 있겠는가. 얼큰한 순댓국에 밥 말아서 깍두기 그리고 된장에 청양고추 푹 찍어 먹었으면 행복할 텐데 말이다. 그래도 저녁부터는 모든 식당들도 문을 열고 포로다니 가든(forodani garden) 야시장도 열기 때문에 잔지바르에 있는 동안은 나도 어떻게 하다 보니 하루 한 끼만 먹게 됐는데 며칠 하다 보니 다이어트 효과도 있고 살이 빠지니 왠지 건강해지는 느낌마저 든다. 달라달라를 타고 능귀 해변으로 갈 때 배가 고파서 몰래 과자 하나를 입에 넣고 천천히 녹여 먹는데 현지인이 인상 쓰며 먹지 말란다. 아! 서럽다 나이 먹고 과자 먹다가 걸려서 혼났다. 그것도 깨물어 먹은 것도 아니고 몰래 입에서 조금씩 녹여 먹었는데, 에이, 안 먹는다.

잔지바르에 올 때는 라마단 기간은 피하길 권한다. 내일은 이 아름다운 잔지바르를 떠나는 날이다. 그런데 아쉬운 마음도 잠시 저녁 12시쯤 백패커스 도미토리에서 일이 벌어졌다. 이곳 도미토리는 침대마다 커튼이 쳐져 있는데 내 바로 옆 2층 침대에서 젊은 커플이 급 하트 뿅뿅이 됐는지 사랑을 나누는 소리가 들렸다. 귀가 쫑긋 세워지긴 했지만 안 들으려고 해도 소리는 점점 커졌다. 나뿐만 아니라 그곳에 있던 많은 사람들도 숨을 죽이고 오줌이 마려워도 못 나오는 듯 싶다. 그들의 애정행각은 2시간 가까이 이어졌다. 역시 서양 친구들은 뭔가 다르긴 다른가보다. 이 작아지는 느낌은 뭘까.

아침에 이 친구들도 뻘쭘할 텐데, 그런데 그건 내 생각일 뿐이었다. 아무 일 없었다는 듯, 내 얼굴 보자 Hi~~ 하며 웃는다. 너희 때문에 어제 3시간밖에 못 잤는데. 너희들이 어제 힘들었을 텐데, 내가 왜 이리 피곤하냐. 잔지바르에서의 마지막 밤을 이 친구들 때문에 너무 야하게 보냈나 보다.

잔지바르 하면 아름다운 바다가 생각나야 하는데…….

여행 팁

· 잔지바르 갈 때에는 페리를 이용해도 좋지만, 비행기와 페리 가격 차이가 거의 없다. 파도 심한 날은 멀미도 심해서 빠르게 편하게 갈 수 있는 비행기도 좋은 것 같다. 갈 때는 저가 페리 플라잉홀스 올 때는 아잠 킬리만자로 탔는데 멀미 때문에 힘들었다.

· 잔지바르는 숙소가 좀 비싼 편인데 숙소 예약 사이트에서 하루만 예약하고 가셔서 흥정하면 좀 더 저렴하게 이용할 수 있다.

· 잠비아니 쪽이 숙소가 저렴해서 오래 있기에 부담이 없는데 돈 인출, 과일 등등

뭐라도 구입하려면 스톤타운으로 나와야 되는 번거로움이 있다.

· 주방 사용가능한 숙소라면 스톤타운 피시마켓에서 랍스터, 머드크랩 꼭 먹고 오면 좋다.

· 타자라 기차를 타면 좋은데 이 기차를 타고 잠비아에서 나미비아비자를 받을 때 시간이 꼬여서 루사카에 오래 있어야 되는 경우가 생긴다. 시간 여유 되면 기차 아님 비행기를 이용하는 게 좋다.

잔지바르에서 할 것

www.zanzibarquest.com

1. spice tour
2. prison island tour
3. dolphin tour
4. safari blue(강추)
5. forodani garden 야시장

*숙소추천

잠비아니- kimte beach lodge

스톤타운- lost&found

능귀- Jambo Brothers guest house

다르에스살람 - Ymca hostel

* 타자라 기차 정보 www.tazarasite.com

07.
잠비아(Zambia)

탄자니아 다르에스살람—항공(2시간30분)—잠비아 루사카—로컬버스(8시간)—리빙스턴

루사카(Lusaka)

탄자니아에서 잠비아로 가는 방법은 여러 가지가 있다. 타자라 기차, 버스, 비행기, 이중 버스는 완전 비추다. 여행 출발 전에는 타자라 기차를 타고 갈까 했는데 타자라 기차를 타면 잠비아에서 받아야 하는 나미비아 비자가 꼬인다. 잠비아 나미비아 대사관이 화요일, 목요일에만 비자 업무를 보기 때문에 그때 맞춰서 도착을 할 수가 없기 때문에 3~4일 어떨 때는 그 이상으로 루사카에 머물러야 했다. 그래서 항공을 선택하기로 했다. 루사카는 나미비아 비자를 받기 위해 있는 곳일 뿐 하루 이상 있기에는 심심한 곳이다. 월요일 저녁 비행기를 타고 루사카로 출발했다. 루사카 도착해서 짐바브웨와 잠비아를 왔다 갔다 마음껏 할 수 있는 KAZA비자를 받았다. 이걸 못 받으면 잠비아 복수비자와 짐바브웨 단수비자를 받아야 하는데 가격이 엄청 차이가 난다. 꼭 KAZA비자를 받길 추천한다. 새벽 도착이라 일단 지금 나가기에는 털릴 위험이 있어서 공항에 노숙하기로 근데 잠비아 왜 이리 추울까. 패딩을 껴입고 침낭을 꺼내서 덮었는 데도 춥다. 아프리카가 춥다니. 의자에 누워 잠을 자려는데 허리가 아프고 등이 쑤신다. 동양인 혼자 그러고 있으니 현지인들이 와서 한 마디씩 하는데 안쓰러웠나 보다.

"어디 가냐, 내가 아는 사람 간다는데 태워다줄까, 어디서 왔냐?"

"난 내일 나미비아 비자만 받고 바로 리빙스턴으로 갈 거야. 지금 나갈 수가 없다. 대사관이 9시에 열기 때문에 여기에 있다가 시간 맞춰나가야 하거든."

아! 노숙은 힘들다. 입에서 단내가 난다. 8시에 택시를 타고 나미비아 대사관으로 갔다. 아무도 없네. 너무 일찍 왔나 보다. 비자를 빨리 받고 리빙스턴으로 빨리 가야지, 웬걸. 지금 신청하면 오후 2시에 나눠준단다. 그럼 리빙스턴 가는 마지막 버스를 놓치는데 그냥 도장 하나 꾹 찍어주면 안 되나. 뭐가 이리 늦어.

그때까지 시간을 보내야 할 곳이 필요했다. 어디를 갈까 하다가 근처 우드랜드(woodland) 라는 쇼핑몰이 있어서 그곳에서 밥도 먹고 마트 구경도하고 이리저리 돌아다니며 시간을 때워야 했다. 어디를 여행하든 마트와 재래시장은 박물관은 안 가더라도 꼭 들리는 곳이다. 나는 여행할 때 관심사 중 하나가 그들은 어떤 새로운 걸 먹고 어떤 과일이 나오며 그건 또 어떤 맛일까 하는 것이다. 유명한 비싼 요리보다는 길에서 파는 음식을 더 좋아하는지라 여행 다니며 길에서 끼니를 해결하는 일이 많았는데, 아프리카는 길거리에서 꼬치를 구워 팔거나 간단히 리어카 등에서 음식을 만들어 파는 곳을 많이 보지를 못했다. 팔면 잘 팔릴 텐데, 안 팔리려나?아님 말고.

나미비아 대사관에서 Woodland 로 걸어가는데 뭔가가 팔에서 따끔하다. 아! 길 가다 벌에 쏘이다니. 얘는 날 왜 찔렀을까. 이해가 안 가는 녀석이다. 그 놈은 내 팔에서 유명을 달리했고 벌에 쏘인 부위가 퉁퉁 부어오르기 시작했다. 비싼 돈을 내고 봉침도 맞는데 공짜로 아프리카 봉침을 맞은 거로 생각하자. 몸 어딘가에 좋지 않을까. 그 이후에 눈도 더 맑아진 것 같고 왠지 모르게 건강해진 것 같은 느낌이다.

돌아다니다가 다시 나미비아 대사관으로 갔다. 아까 오전에 봤던 사람들도 하나둘씩 비자를 받기 위해 모이기 시작했다. 이미 리빙스턴으로 가는 마지막 버스는 틀렸고 루사카에서 일박하고 내일 아침 일찍 출발해야 했다.

리빙스턴(Livingstone)

숙소에서 아침 일찍 리빙스턴으로 가기 위해 버스터미널로 갔는데 리빙스턴 가는 버스는 따로 예약이 필요 없을 정도로 가는 버스는 널려 있었다. 외국인은 나 한 명뿐이다. 이 많은 버스 승객들 중 외국인은 나밖에 없다. 장거리 버스는 인도, 남미에서 너무 많이 타봤기에 7~8시간은 장거리라 말하기에는……. 그냥 옆 동네 마실 가는 정도다.

리빙스턴의 첫 느낌은 여기 오랫동안 머물러도 좋겠다는 따뜻한 느낌이었다. 예약해둔 리빙스턴 백패커스 분위기 또한 내가 딱 좋아하는 스타일이다. 그래 여기에서 며칠 쉬었다 가자. 그런데 인기 있는 숙소라 이틀 후부터는 방이 없단다. 일단 취소자가 생기면 얘기해 달라고 해놨는데 내일모래 일은 그때 가서 생각하자.

마트에 가서 고기랑 이것저것 사서 구워 먹는데 고기는 역시 혼자 구워 먹어도 맛있다. 수영장 근처 벤치에서 맛난 고기랑 맥주 한 잔하는데 모기가 너무 많았다. 도저히 안 될 것 같아 긴 바지로 갈아 입었지만 아프리카 모기들이 동양인 피가 입맛에 맞았는지, 아침에 내 다리를 보니 엉망이었다. 이것들이 먹어도 너무 먹었다. 수혈이 필요할 것 같다.

아침에 일단 어제 마트에서 산 현지 라면을 두 개 끓여 먹고 10시 빅토리아폭포 버스 픽업 버스 시간까지 밀린 빨래를 하는데 구정물이 많이 나왔다. 이걸 내가 입고 다녔다니. 그래서 모기가 이리 꼬였나!

드디어 빅토리아 폭포로 떠났다. 세계 3대 폭포인 이과수, 나이아가라, 빅토리아 폭포! 이제 나이아가라만 보면 다 본다.

예전 남미여행 때 이과수 폭포의 그 웅대함 그리고 엄청난 물 폭탄을 다시 한 번 여기 아프리카에서 그 감동을 느끼게 되다니! 구름 한 점 없는 하늘에서 장대비가 쏟아지는데, 햐! 이거 안 맞아 본 사람은 모를 거다. 홈뻑 물에 젖은 채 다시 짐바브웨 빅폴을 보기 위해 걸어서 가는데 그 유명한 국경의 다리 위 번지 점프대에서 서양인 여자애 한 명이 뛰어내리는데 내가 다 오줌이 찔끔 나올 것 같다. 그래도 왔는데 나도 한 번 뛸까 했는데 헐! 150달러라고 한다. 너무 비싸다. 달랑 줄 하나 매고 뛰는 건데 이건 너무한 게 아닌가. 아프리카는 어딜 가나 뭘해도 비싸다. 가격 대비 큰 즐거움이 아니라고 생각이 들어서 패스했다.

짐바브웨는 사실 말해서 빅토리아 폭포를 보기 위해서가 아니라 여권에 도장 한번 찍고 100조 달라 한 장 기념품으로 구해볼까 하고 갔는데, 국경 건너자마자 현지인들이 벌써 나에게 딜을 해온다. 가지고 있던 동전

몇 개랑 100만 달러 한 장하고 바꾸자고 하니 고개를 설레설레 젓는데, 그럼 나도 안 사 하고 가려고 하니 바로 잡는다. 역시 딜을 할 때에는 마음에 언 들면 돌아서는 척하는 게 제일 좋다. 잡으면 깎은 가격에 살 수 있고 안 잡으면 내가 부른 가격보다 비싼 거라 생각하면 된다. 그런데 내가 부른 가격에 딜 하나 없이 바로 줄 때가 정말 갈등되곤 한다. 더 깎을 수 있다는 생각에 아쉽다.

다시 걸어서 잠비아로 간다. 우리나라도 언젠가 걸어서 왔다갔다 할 날이 오면 좋은데, 그럼 내 차를 타고 서울에서 유럽으로 세계로 쭉쭉…….

처음 아프리카에 오기 전에는 아프리카는 무섭고 여행하기 힘들 거라고 생각했는데 막상 와 보니 내가 운이 좋은 건지 좋은 사람들 많았고 따뜻한 사람들도 많이 만났다.

다시 리빙스턴으로 돌아왔다. 그동안 여행하며 머리가 너무 많이 길어서 리빙스턴 거리의 미용실로 들어갔다. 근데 내 앞에 아프리카 헤어스타일 사진이 붙어 있는데 내가 보기엔 다 짧은 스포츠머리로 똑같아 보였다. 인터넷으로 원빈 사진을 보여주며 이대로 깎아달라고 했는데, 한참 사진을 보더니 한번 시도해 보겠단다. 아프리카의 미용실에는 가위가 없다. 오직 바리깡만 이용해서 머리를 자른다. 이 친구가 정말정말 성심성의껏 나를 원빈으로 만들어 주려고 노력하는데 사진하고 대조해보는 그 친구 얼굴이 헤어스타일은 원빈인데 모델이 영 아닌 것 같다는 표정이다. 아무리 뛰어난 디자이너도 그건 불가능하지. 여기 서비스 너무 좋다. 깔끔한 마무리에 머리도 감겨주고, 드라이에, 헤어젤로 머리 모양까지 만들어준다. 해외에서 머리를 깎아본 건 이번이 세 번째다. 필리핀에서 한 번, 인도의 길거리에서 한 번, 그리고 여기 아프리카에서다.

시장에 가서 구운 옥수수 하나를 사서 물고 여기저기 구경 다니는데 역시 시장은 어디를 가나 재미있다. 밑으로 내려갈수록 춥다고 해서 구멍 난 털점퍼 하나를 싸게 득템하고, 바지도 하나 사려는데, 숏다리의 비애를 느꼈다. 사이즈가 전혀 없었다. 바지의 절반을 자르면 맞으려나.

좀 더 리빙스턴에 머물려고 했는데 내일 취소자가 없어 자리가 없단다. 다른 숙소를 찾아볼까 하다가 또 귀차니즘이 생겼다. 그냥 내일 보츠와나로 가자. 보츠와나를 가려니 대중교통은 없고 시장 근처 쉐어택시 정류장 가서 타는 방법밖에 없단다.

아침 일찍 쉐어택시 정류장으로 가서 국경으로 가는 택시를 탔는데 꽉 차야 출발한단다. 일단 중요한 건 내가 첫 번째라는 거 앞자리 선점이 중요했다. 뒤에 앉으면 덩치 큰 사람이라도 탄다면 세 명이서 끼어서 몇 시간을 힘들게 가야 한다. 여럿이 다니면 기다리지 않고 바로 갈 수 있었을 텐데 그런데 여행에서 정말 잘 맞는 동행을 만난다면 정말 좋겠지만 아닌 경우는 정말 여행을 망칠 정도로 최악이 될 수 있다.

여행은 혼자 다니는 게 여러모로 편한 것 같다. 내 시간에 맞춰 다니고 쉬고 싶을 때 쉬고 좋은 곳은 좀더 오래 있고, 먹고 싶을 때 먹을 수 있다. 여행지에서까지 누구에게 맞춰가기 싫다. 혼자 다니기 두려운 마음에 억지로 같이 다니면서 스트레스받는 사람들을 보면 왜이리 한심하던지. 뭐든 시작이 어렵지 일단 비행기를 타면 어떻게든 된다. 그러다 좋은 동행도 만나게 되고 평생 잊지 못할 아름다운 추억이 생길 수도 있다.

내가 배낭여행을 사랑하게 된 이유는 인도에서 만났던 한 사람 때문이었다. 그와의 추억이 어른이 되면서 봉인되었던 어린 시절의 감성 그리고 새로운 세계에 대한 호기심 등 모든 것이 풀려 버렸던 것 같다. 마음이 마음으로 여행한다는 것이 이런 것인가.

누군가의 마음을 마음으로 느껴본 것이 처음이라 너무 소중하고 아름다운 추억이었던 그곳 인도이다.

여행 팁

· 루사카는 나미비아비자를 받기 위해 오는 곳인데 화요일 목요일에만 대사관에서 비자 업무를 하기 때문에 날짜를 맞추지 못한다면 루사카에 오래 머물러야 할 경우

가 생긴다. 대사관 휴일 등도 잘 체크해야 한다. 아님 일주일을 루사카에 머물 수도 있다.

· 루사카에서 리빙스턴 가는 버스가 2시면 끊기는데 나미비아 비자를 2시에 나눠준다. 하루는 루사카에서 머물러야 한다. 그전에 받는 건 개인 능력이다. 난 2시에 받았다.

· 루사카 도착후 공항에서 카자(KAZA) 비자를 꼭 받아야 한다. 잠비아랑 짐바브웨 왔다 갔다 마음껏 할 수 있는 비자다. (공항이나 국경에서 발급되는데 타자라 기차 타면 받을 수 없다.)

· 리빙스턴에서 보츠와나 카사네 갈 때에는 대중교통은 없고 시장 근처 쉐어택시 타는 곳에서 국경까지 가서 다시 보트 타고 강을 건어서 다시 쉐어택시 타고 카사네로 갈 수 있다.

· 초베 사파리 할 때 잠비아 리빙스턴에서 하면 많이 비싸다. 보츠와나 카사네 오면 저렴하게 게임드라이브 보트 사파리를 할 수 있다.

리빙스턴에서 할 것

① 리빙스턴 다리 위 번지점프

② 레프팅 (RAFTING)

③ 데빌스 풀 (DEVIL'S POOL)

숙소추천 루사카-Lusaka Backpackers 리빙스턴-Livingstone Backpackers

08.
보츠와나

잠비아 리빙스턴—쉐어택시—국경—BOAT(5분)—보츠와나국경—쉐어택시—까사네—히치하이킹—나타—히치하이킹—마운

리빙스턴에서 보츠와나 갈 때에는 대중교통은 없고
시장 근처에 있는 쉐어택시를 타고 가야 한다.
보츠와나는 대중교통이 많지를 않아 히치하이킹이 보편화되어 있다.

카사네(Kasane)

쉐어택시를 타고 국경에 도착했다. 보츠와나로 가려면 배를 타고 강을 건너야 된다. 보츠와나에는 대중교통이 있긴 하지만 그냥 없다고 생각하는 편이 나을 것 같다. 다시 쉐어택시를 타고 예약해둔 숙소로 갔는데 숙소 근처에 아무것도 없고 그냥 산속에 어찌 이런 게 있나 싶다. 처음 보는 이 풍경! 이 넓은 곳에 아무도 없다.

일단 가방을 가운데 보이는 아프리카 원주민들이 사용할 것 같은 주방 옆에 던져놓고 여기저기 구경을 다녔다. 화장실 벽은 나무로 대충 얼기설기 엮어 놨는데 신기하게 안에서는 밖이 보이는데 밖에서는 안이 잘 보이질 않는다. 문은 없다. 샤워실에는 샤워기가 없고 물이 나오지 않는다. 무슨 천으로 만든 서부영화에서 나올법한 세수대야, 숙소 안 2층 침대는 직접 만든 것 같다. 대충 나무로 뚝딱뚝딱 만들어서 비틀거리고, 이곳 대부분이 폭신폭신한 흙이라 조금만 걸어도 운동화가 온통 흙투성이다.

기다려도 기다려도 아무도 오지 않는다. 사람이 살기나 하는 곳일까. 근데 아무도 안 오면 이곳 산속에서 어떻게 나가야 할라나. 이런 곳은 처음이다. 한참이 지나자 커다란 지프 한 대가 들어오는데 여기 주인인 것 같았다. 여기는 물이 나오지 않아 물 뜨러 갔다 왔다는데, 한 번 더 뜨러 가야 해서 같이 가잔다. 얼떨결에 이 친구들하고 같이 물을 뜨러 갔는데, 30분 정도 산속으로 산속으로 들어갔다. 자기 친구 집이라는데 집도 만들고 침대도 가끔씩 예술 작품도 만드는 친구란다. 아마 이 친구가 그 삐걱거리는 2층 침대도 만들었을 것 같다. 그 숙소도 이 친구가 만들었으려나. 지금 집을 만드는 중이라는데 혼자 이 큰 집을 만들다니 나름 전문가는 전문가인듯 싶다.

그곳에서 물 5통을 뜨고, 오는 길에 시내에 들러 장도 보고 맥주도 몇 캔 사가지고 왔다. 여기 있는 동안 자기들 밥 먹을 때 같이 먹으란다. 밥을 하기 위해서 장작을 패야 한다. 그냥 커다란 나무를 커다란 도끼로 팍팍 내리치는데 쫙쫙 쪼개진다. 쉬워 보이지만 직접 해봤는데 정말 힘들다. 한국에서처럼 한 덩어리씩 놓고 내려치면 반이 쪼개지는 그런 게 아닌 그냥 커다란 나무하나 놓고 내리치는 거라 초보자는 바닥 내리찍기 일쑤다. 장작을 패고 가운데 불 피우는 곳에 가서 작은 나무부터 불을 붙여서 서서히 큰 나무를 넣어서 불이 붙으면 아프리카에서 주로 먹는 옥수숫가루를 물에 넣어서 서서히 끓이면서 계속 저으면 우리나라 백설기 같은 흰떡처럼 되는데 여기에 소고기 장조림처럼 보이는 거랑 같이 먹는다. 역시 수저는 없다. 근데 이건 손으로 먹어야 제맛인 것 같다. 사장, 사장 동생,

동생 여자친구, 나, 넷이서 모닥불에 둘러앉아 먹는데 요거 별미다. 이번엔 내가 장작 좀 패서 가져온다니까, 다들 힘들 거라는 표정이다. 역시나 첫 방은 바닥을 내려찍고 둘째 방은 나무를 찍긴 했는데 쪼개지려는 낌새도 안 보인다. 내려찍다 보니 다들 잠자러 들어간다. 내일 다시 쪼개봐야겠다.

여기 숙소주인이 여행사도 같이하면서 가이드까지 하기 때문에 다음 날 새벽에 초베 사파리 투어는 따로 예약할 필요 없이 다음 날 자기 나갈 때 같이 가면 된다고 한다. 새벽 5시에 출발할 테니 준비하고 나오란다.

다음 날 새벽은 너무 추웠다. 사파리 차량은 오픈카라 산과 도로를 달리는데 왠만한 칼바람은 저리 가라할 정도였다. 춥다 못해 아팠다. 그나마 출발 전에 담요를 줘서 뒤집어쓰니 추위가 덜하다. 우리 차에는 오늘 나 포함 3명이 전부다. 숙소는 텅텅 비고 사파리마저 이리 텅텅 비어서야 먹고 살겠나 싶다. 초베 국립공원 도착하니 다른 사파리 차량엔 사람이 한가득이다.

초베 국립공원 강가 근처에 가자 가까이에 사자가 있다고 한다. 사자발자국을 보여주는데 사이즈가 굉장하다. 사자는 앞이 무겁고 뒤가 가볍기 때문에 발자국만 봐도 구별하기 쉽다고 한다. 저 강 건너 풀숲에 사자가 있는데 사자는 나를 봤으려나 모르겠는데 난 사자를 끝내 못 봤다.

더 일찍 사파리를 시작한 외국 가족들은 사자를 3마리나 봤다고 하는데 지금은 배불러서 자나 보다. 강에는 하마 무리와 커다란 악어들, 코끼리떼, 그리고 기린 등이 있었다. 야! 신기 그 자체다. 내 바로 앞으로 기린이 지나가는데, 난 아프리카에서 다른 동물보다 왜 이리 기린이 신기해

보이는지 모르겠다. 느릿느릿 알록달록한 롱다리와 롱넥! 귀여운 뿔에 이쁜 눈까지. 그리고 바로 내 앞으로 천천히 걸어가다가 뒤를 돌아보는데 너무 귀엽다. 그리고 오후의 보트 사파리에서 어마어마하게 큰 악어를 바로 눈 앞에서 봤는데 그 위엄은 오줌을 지릴 정도의 포스였다. 바로 옆에서는 한 무리의 코끼리들이 한 판 싸움을 벌이기도 하고 저쪽에서는 50마리 정도 되는 코끼리들이 줄줄이 무리지어 있고, 보트 근처에서 갑자기 하마가 푸우하고 나왔을 때는 다들 깜짝 놀라서 소리 지르고 난리다. 놀라움 그 자체다.

그리고 돌아오면서 보는 석양은 정말 아름다움의 끝이 아닐까 싶을 정도였다. 보츠와나 게임 드라이브 그리고 보트 사파리 둘을 합쳐도 가격이

정말 저렴하다. 거기에 간단한 점심까지 줬다. 내가 아프리카 여행하면서 가격대비 정말 훌륭한 투어였다. 비싼 돈을 주고 고생하면서 추위에 떨며 보는 세렝게티를 생각한다면 보츠와나 사파리면 난 충분하지 않을까 하고 그냥 생각만 한다. 그래도 돈이 여유가 된다면 세렝게티도 가보자. 여유만 된다면야 킬리만자로도 올라가고 싶었다.

투어가 끝나고 숙소에 돌아왔더니 내가 좋아하는 파파(papa)에 고기볶음 남았다고 배고프면 먹으란다. 오늘도 여기 게스트는 안 온다고 샤워를 할까 했는데 너무 추워서 찬물에는 죽어도 못하겠고 물을 끓이려니 또 장작을 패야 된다. 그냥 안 씻으련다. 내일 오후에 날씨 좋으면 그때 해야지.

내일은 아무런 스케줄 없이 그냥 숙소에서 딩가딩가 쉬기로 했다. 딱히 어디 나갈 곳도 없고 나가기도 힘들다. 아침에 일어나서 Papa를 먹고 점심에 Papa먹고 저녁에는 내가 가져온 라면을 끓여서 나눠줬는데, 영~~ 입에 안 맞는 모양이다. 나도 여기 라면은 영 별로다. 모닥불 피워 놓고 또 넷이 둘러앉아 맥주 한 잔 하는데 사장이 나보고 더 있고 싶으면 무료로 더 있으란다. 같이 밥해 먹으며 이 친구들이 정이 들었나 보다. 숙소가 이리 텅텅 비어있으니 이 친구들도 사람이 그리웠나.

그날 오후 늦게 드디어 이 숙소에 게스트가 들어왔다. 스코틀랜드에서 왔다는 친구들이었는데 잠비아에서 바로 넘어와서 초베 사파리하고 밥 먹고 왔다는데 너무 비싼 가격에 사파리 투어를 했다고 씩씩거린다. 누가 이 친구들에게 사기를 친 듯하다. 이 친구들도 잠비아에 있을 때 리빙스턴 백패커스에 묵었다는데 거기에 적혀 있는 가격을 보고 와서 여기서 눈퉁이 맞았다고 거의 3배를 주고 했으니 열 받을 만도 하다. 어린 친구들이었는데 말라위에서 한 달간 봉사 활동을 하고 남는 기간 여행하고 돌아간다는데 루트가 나랑 비슷하다. 다음 날 일찍 자신들도 마운으로 간다는데 그때부터 이 친구들과 10일 정도 같이 다니게 됐는데 이번 아프리카에서 만났던 사람들 중 가장 좋았던 동행이었다.

여행 팁

보츠와나는 렌터카가 없으면 좀 불편하다. 숙소 간 거리도 꽤 멀고 밥이라도 사 먹으려면 시내근처로 나가야 한다. 가능하다면 대형마트가 있는 시내 근처로 숙소를 잡으면 편하다.

숙소추천 카사네- Banana Backpackers Camp (불편한 거 싫어하는 분은 비추)

마운(Maun)

여기 사장이 내일 아침 6시에 마운으로 가는 버스가 있어서 거기까지 태워준단다. 아프리카 와서 왜 이리 새벽 이동이 많은지 피곤에 피곤에 쩐다. 새벽에 사장이 내려준 곳엔 현지인 두서너 명과 우리 셋뿐이다. 곧 이쪽으로 마운가는 버스가 올 거라고 하는데 너무 춥다. 근데 아무리 기다려도 버스가 안 온다. 아무도 아는 사람이 없다.

현지인들도 그냥 기다릴 뿐. 그냥 마냥 기다릴 수가 없어서 다행히 지나가는 차가 있어서 잡았는데 마운까지는 아니고 나타 까지 태워줄 수 있다고, 나타에서 마운가는 버스는 거기 가면 있을 거란다. 나타에 도착했지만 현지인들이 곧 온다는 버스는 시간이 가까워지는데도 오지 않는다. 우리한테 곧 온다고 했던 그 현지인도 히치 하이킹한다고 도로로 나간다.

우리 셋도 여기저기 흩어져서 주유소에 기름 넣는 차, 지나가는 차는 일단 세워서 물어봤는데 마운가는 차가 없다. 아니면 얼토당토 않은 가격을 부른다. 어찌 가야 할까?

그러다가 현지인 한 명이 우리한테 다가와서 저 멀리 세워져 있는 우리 버스가 마운으로 가는데 얼마를 주면 태워주겠다고 한다. 그 순간까지도 깎으려는 이 본능, 끝내 출발하기 10분 남겨놓고 좋은 가격에 협상타결했다. 그런데 마운에 도착해서는 돈을 남들 몰래 달란다. 그냥 태워주는 척 하며 이 사람이 가지나 보다. 버스에 탔는데 얘들은 뭐 하는 얘들인지 느낌은 고등학생 수학여행 가는 분위기다. 뒤에는 다들 널브러져 있다. 아! 정신없다.

마운에 도착해서 그 친구들이 예약한 숙소 가는 길에 내가 알아본 Old bridge backpackers가 있어서 택시를 같이 쉐어하기로 했다. 이런! 숙소에 자리가 없단다. 예약 안 한 나의 실수다. 보츠와나는 숙소간 거리가 10킬로 정도는 떨어져 있고 그 주변에 아무것도 없다. 렌터카 없이 이동하기에는 불편한 게 좀 있다. 다행히 스코틀랜드 애들이 자기들이 예약한 숙소에 침대가 하나 여유가 있어서 같이 쉐어해도 좋다고, 이리 고마운 친구들이 있나. 게리, 잭 둘 다 스코틀랜드 대학생인데 어린 시절부터 절친이라 가끔씩 같이 배낭여행을 다닌단다.

마운은 오카방고델타라는 삼각주로 유명한곳인데 만났던 사람들마다 비추한다. 그래서 당일 투어나 할까 했는데 때마침 당일 투어 다녀오신 한국 분들을 만났는데 가지 말란다. 그래서 패스하고 나미비아로 갈까 했는데 숙소에서 그럼 3시간짜리 보트 투어를 싸게 해준다며 할 거냐고 물

어보는데, 모두 콜! 싼 맛에 한다.

보트를 타고 오카방고로 출발했다. 1박 2일로 다녀온 사람들이 적극 말리는 이유가 있었다. 보이는 것도 별로 없다. 그분들은 밤에 텐트에서 자는데 입 돌아가는 줄 알았단다.

물론 여행에서 사람들마다 같은 곳을 가도 다른 느낌 다른 경험을 하기 때문에 내가 싫었던 곳이 다른 이에겐 좋은 추억의 장소가 될 수도 있다. 여행에서 모든 것은 자신이 판단하자.

다음 날 나미비아 빈트후크로 가려니 대중교통이 없단다. 유일한 게 금요일 한 대 출발하는 여행사 콤비가 있는데 그건 우리랑 시간이 안 맞는다. 일단 알아본 방법은 내일 새벽 5시30분 마운 버스 터미널에서 간지 행

버스, 다시 찰스힐, 다시 택시를 타고 국경, 국경에서 빈트후크까지 히치하이킹하는 방법인데 일단 가면 어떻게든 될지 싶다. 숙소 매니저에게 내일 새벽에 우리 좀 버스 터미널까지 태워줄 수 있냐니까, 바로 콜! 아프리카에 와서 느낀 건데 만나는 사람들마다 왜 이리 착하냐. 다 해결됐으니 맥주나 먹자. 내일 일은 내일 해결하자!

여행 팁

· 보츠와나는 대중교통이 있기는 한 대 운행하는 버스가 그렇게 많지 않다. 그냥 편하게 없다고 생각하는 편이 편할 것 같다. 그래서 보츠와나는 히치하이킹이 보편화돼 있다. 무료가 아닌 금액은 지불해야 한다.

· 카사네에서 마운이동

새벽 6시에 마운가는 버스가 있다고 했는데 안 왔어요. 히치하이킹해서 NATA까지 그리고 다시 히치하이킹해서 마운까지 갔다.

· 마운에서 나미비아 빈트후크로 이동

새벽 5시30분 마운버스터미널에서 간지, 간지에서 찰스힐까지 미니버스, 찰스힐에서 택시타고 국경, 나미비아 국경 넘어서 다시 히치하이킹해서 빈트후크까지 갔다. (혼자서 히치하이킹을 하는 건 위험하다. 가능하면 여행사 버스를 찾아보고 여럿이 이동하는 게 안전하다.)

숙소추천 마운 Old Bridge Backpackers

09.
나미비아 (Namibia)

보츠와나 마운-—로컬버스(05:30분 마운터미널 출발)-—간지—미니버스—찰스힐—쉐어택시—국경—히치하이킹—나미비아빈트후크—렌터카(6시간)—에토샤국립공원 ---렌터카(6시간)--스와코프문트---렌터카(5시간)---쎄스림캠핑장---렌터카(7시간)---피시케니언 근처 도시

· 나미비아는 대중교통이 대도시 간에는 미니버스나 기차가 있기는 한데 에토샤국립공원 쎄스림캠핑장 등을 가려면 렌터카 또는 투어 이외에는 방법이 없다.

· 빈트후크에서 스와코프문트로 갈 때에는 쉐어버스정류장에서 타면 4시간 정도 걸린다. 미니버스마다 뒤에 짐차를 달고 다니기 때문에 배낭이 커도 괜찮다.

에토샤 국립공원 캠핑장 숙소예약- www.etoshanationalpark.org
세스림 캠핑장 예약 www.nwrnamibia.com

빈트후크(Windhoek)

새벽에 씻지도 않고 바로 출발했다. 버스를 2번 갈아타고 택시를 타고 국경에 도착했다. 정말 아무것도 없다. 빈트후크까지 가는 방법은 지나가는 차를 히치하이킹하는 방법밖에 없다. 그러나 우리가 탈 만한 건 거대한 트럭뿐 다른 차는 보이질 않았다. 이거라도 타는 게 어디냐. 일단 움직이는 트럭은 잡고 보자. 거기서 이 말을 얼마나 많이 했던가. WE ARE GOING TO WINDHOEK. 블라블라블라~

일단 나미비아 국경을 통과하고 다시 시도하기로 했다. 입구 쪽에서 버티다 보면 나타나리라 인상 좋아 보이는 트럭 운전사를 발견했다. 우리 빈트후크로 가는데 태워줄 수 있냐고 하니까 저렴한 가격에 오케이한다. 폴이라는 친구인데 정말 유쾌하고 말도 많고 좋은 친구였다. 중간에 가다가 경찰에게 잡혀 초과 승차로 걸려서 벌금까지 물었는데도 돈은 아무것

도 아니라며 걱정하지 말란다. 우리는 나미비아 돈이 없어, 주머니에 있던 보츠와나 뿔라를 탈탈 털어서 그에게 주며 이거라도 벌금에 보태라고 했다., 경찰과 한참 시비 끝에 해결이 됐는지 거의 1시간을 그곳에서 있었던 것 같다. ALWAYS THE GUY 란다. 올 때마다 잡는다고 나미비아 빈트후크는 지금까지 보지 못했던 현대식 건물들로 꽉 차 있었다. 시골에 살다가 도시에 온 느낌이랄까, 미리 예약해놓은 그 유명한 카멜레온 백패커스에 도착했다. 여기도 1박만 가능할 뿐 인기 있는 숙소라 다음 날부터 예약이 꽉 차 있다고 한다. 나미비아는 꽃보다 청춘으로 유명해진 소스스블라이, 듄45 ,데드플라이, 에토샤 네셔널파크를 보기 위해 요즘 한국 사람들에게 아주 핫한 곳이다. 그런데 나미비아도 대중교통이 많이 발달하지 않아 도시 간 이동은 기차 또는 합승봉고, 택시 등으로 움직이는데 저런 유명한 곳을 가려면 방법이 딱 두 가지밖에 없다. 렌터카 또는 투어에 참가하는 건데 투어로 가기에는 너무 비싸기 때문에 많은 사람들이 렌터카를 이용해서 찾아간다. 나미비아 길은 대부분이 비포장길이라 사고가 아주 많이 나는데 단순 접촉사고가 아닌 전복사고가 대부분이라 대부분 대형사고로 이어진다. 나미비아에서 렌트하는 분이 있으면 정말 안전운행하길 바란다.

투어 가격을 보고 너무 비싸 바로 마음을 접고 다음 날 그 아름답기로 유명한 스와코프문트로 가기로 했다. 카멜레온 백패커스는 조식이 포함이라 아침 일찍 일어나 토스트를 몇 장 구워 잼을 발라 먹고, 음료 한 잔을 마시는데 한국인 한 분이 말을 걸어온다. 어제 저녁 남아공에서 오셨다고 쎄스림과 에토샤를 가기 위해 렌트 동행을 찾고 있었다. 그런데 나미비아에서 렌트 하려니 가격이 꽤 비싸다. 로컬 여행사를 알아보니 렌트 가격은 싼데 디파짓을 높게 부르고 보험은 못 들어준단다.

스와코프문트(Swakopmund)와 소서스블라이(Sossusvlei)

그 분도 포기하고 우리하고 스와코프문트가기로, 아침에 동행 한 명이 더 생기게 됐다. 여행은 하루하루 오늘은 어떤 일이 생길까라는 재미가 쏠쏠하다. 오늘은 어떤 새로운 사람을 만나고, 어떤 스펙터클한 일이 생기고, 앞으로 나에게 무엇이 기다리고 있을까.

좁디좁은 합승 봉고를 타고 스와코프문트로 출발했다. 이번엔 내가 알아본 스와코문트 백패커스가예약이 풀이라 다른 숙소를 예약했는데 이번엔 에어비엔비에서 알아본 일반 가정집으로 가기로 했다. 우와! 가격도 백패커스만큼 저렴하고 가정집이라 깨끗하고 모든 면에서 만족 만족 대만족이다.

에이미라는 여자분의 집이었는데 여기에서 산지 본인도 그리 오래 되

지 않는다고 했다. 스와코프문트에 와 보니 나도 이런 곳이라면 한동안 여기서 살고 싶다는 마음이 절로들 정도로 아름다운 도시였다. 그래서 미국의 배우 안젤리나 졸리도 이곳에서 오래 있었리으라. 난 나미비아에서 가장 아름다운 곳을 한 곳을 뽑으라면 스와코프문트가 1위다.

우리 넷은 썬 셋으로 유명한 해변의 아름다운 레스토랑 타이거리프로 갔다. 우와! 이건 영화속 한 장면이나 나올법한 풍경이다. 파도 모래사장 썬셋 그리고 그 시간을 즐기는 여행자들 그리고 이 아름다운 풍경 속에 아름다운 이 식당까지. 뭔들 안 맛있고 뭔들 아름답지 않겠는가. 아침에 만났던 그 분도 생각지 않았던 이 곳에 온 게 정말 굿 초이스였다. 여기는 바다만 바라보고 있어도 충분히 행복한 곳이지 않을까 한다. 저녁을 먹고

침대에 누워 딩가딩가하는데, 한국분이 아직도 쎄스림과 에토샤에 미련이 남아있었는지 계속 렌터카를 찾아보다가 저녁 시간 되니 가격이 훅 떨어졌다고, 내일 쎄스림 캠핑장을 안 가겠냐는 거다. 우리 셋은 바로 콜! 저렴한 가격에 쎄스림을 갈 수 있다는데 안 갈 이유가 없었다. 그리고는 급 바빠졌다. 내일 아침 일찍 한국 분은 웰비스베이에 근처 공항까지 가서 차를 받아와야 되고 우린 캠핑 가서 먹을 음식 텐트 매트 침낭을 사야했다. 저녁에 급진행된 캠핑 여행 일단 내일부터 묵기로 했던 숙소에 찾아가서 예약을 하루 미루고, 작은 차를 빌려서 우리 네 명의 배낭을 다 넣을 수가 없어서 큰 배낭은 숙소에 맡기고 작은 배낭만 들고 가기로 했다. 마트 열자마자 일단 맥주, 소고기, 삼겹살, 소시지, 버섯, 양파, 감자, 집게, 아이스박스, 과일 그리고 CYMOT 이라는 아웃도어 용품점에 가서 저가

텐트랑 침낭만 사서 바로 출발했다.

다들 가면 어찌 되겠지 라는 마인드다. 배낭여행을 가면 일단 가면 어찌 되긴 하긴 한다. 바닷길을 달리는데 이건 예술이다. 사막과 바다가 만나는 이 풍경을 어디서 보겠는가. 파도는 정말 죽음이다. 그러다가 금새 오프로드가 나타난다. 가끔씩 보이는 4륜 구동들은 140~150킬로로 달리나보다. 그들이 한번 지나가면 먼지로 앞이 아무것도 보이질 않는다. 돌은 퍼벅 튀기고 우리도 100킬로미터 정도인데 그들은 휙휙 지나간다. 앞뒤 옆을 봐도 내리 사막뿐이다. 그러다가 차가 살짝 미끄러지는데 헉! 순간 찔끔했다. 오프로드 구간은 모래와 작은 돌이 대부분이라 과속은 금지다. 이래서 나미비아에서 운전하는 것이 위험하다는 거구나, 이해가 팍팍 된다. 가다보면 낭떠러지 구간도 있는데 여긴 떨어지면 살아남기 힘들다. 절대 과속금지다.

가다가 사진도 한 방 찍고, 구경도 하고 가다 보니 벌써 어두워지기 시작한다. 스와코프문트에서 쎄스림까지 6시간 정도 걸린 것 같다. 쎄스림 캠핑장 도착하니 벌써 문을 잠가놓고 있었다. 순간 아! 못 들어가는 건가 싶었다. 다행이다. 아저씨 한 분이 나와서 문을 열어주시더니 예약 안 했다고 했더니 리셉션으로 한번 가보란다. 자리는 있을 거라고 걱정하지 말란다.

쎄스림 캠핑장은 엄청난 규모여서 언제 가도 자리는 있지 않을까라는 생각이 든다. 그래도 모르니 예약은 미리미리 하고 가는 게 좋다.

우리도 바로 자리하나 배정받았는데 이 넓은 캠핑장 우리 주변에 아무도 안 보인다. 일단 세 명은 텐트를 펼치고 난 장작에 불을 피웠다. 장작이 타서 숯이 돼야 고기를 아름답게 구울 수가 있기 때문에 무엇보다 중요한 작업이다. 캠핑은 먹는 게 반인데 내 손에 이번 캠핑의 재미의 절반이 달려있다.

잘 마른 장작이라 금방 훨훨 타오른다. 숯이 되려면 20~30분쯤의 시간이 걸리는데, 그 시간동안 닭고기를 카레에 양념해서 봉지에 넣어두고 감자 양파 버섯을 준비했다. 시간이 좀 지나자 숯들이 반짝반짝 빛나는 게 타이밍이즈 나우다. 여기 캠핑장에서 빌려준 그릴을 일단 고기에 있는 비계들도 말끔히 닦아내고 고기를 올려놓는 순간 바로 이 소리다. 치익 치익~ 거기에 후추를 갈아서 뿌리고 소금을 휙휙 뿌려준다. 이 고기는 절대 미듐을 넘어가면 안 된다. 이 고기에 대한 예의가 아니다. 잭이 가지고 온 색종이 자르는 작은 가위로 고기를 잘라서 한 점 먹는데, 이건 인생 고기다. 내 인생에서 맛 본 최고의 고기이지 않을까 한다. 다들 한 입하고 나서는 최고급 식당에서나 맛 볼만한 고기라고…….

스와코프문트에 독일 사람들이 많이 살아서 그런가 이 아름다운 고기들은 어디에서 수입해서 가져오지 않나 싶다. 그전까지 아프리카에서 먹었던 소고기들은 이빨이 빠질 정도로 질겼는데 나미비아 소고기는 최고 중에 최고이다. 맥주가 술술 들어간다. 그리고 아까 양념한 닭고기 요것 또한 예술이다. 그런데 돼지고기는 아프리카에서는 비추다. 아무 맛도 나질 않는다. 어떤 돼지이길래, 무맛 무취다. 그렇게 먹다가 하늘을 봤는데 별이 쏟아진다. 사막의 쏟아지는 별 아래에서 좋은 사람들과 최고의 바비큐를 먹으며 맥주 한잔하는데 무엇이 이 순간보다 좋을쏘냐. 이게 행복이지 않을까. 다음날 아침 5시 40분에 캠핑장문을 열어주는데 그때 듄45의

일출을 보러 갈 수 있다. 듄45는 거대한 모래언덕인데 세스림부터 거기까지 거리가 45킬로미터라 듄45라고 하는 설도 있고 잘은 모르겠다. 왜 그리 이름이 붙여진 건지. 일단 아침부터 맨발로 사막언덕을 오르는데 토하는지 알았다. 운동 안 한 게 여기서 들통이 나는 구나. 중턱까지 오른 후 핑~ 돌면서 입에 단내가 난다. 한국에 가면 운동 열심히 해야지 이러고 가도 한국 가면 운동은 안 한다. 이 작심 3일도 못 가는 인간 같으니라고, 겨우겨우 정상에 올랐다. 올랐으니 일단 점프샷 한 방 찍고 '꽃보다 청춘'에서 처럼 한 번 뛰면서 뒹굴고 그리고 떠오르는 태양에 감정을 가득 실은 모습으로 사진 한 방 찍고, 여기서 달리는 사람들은 다 한국 사람들이다. 나영석 PD 라는 분은 어떻게 그런 예능을 생각했을까. 여행 예능의 최고

아닐까 한다. 그리고 찾아간 데드플라이는 세계에서 가장 오래된 사막이라는데 나무들이 삐쩍 말라 붙어있는 곳인데 사실 난 여기보다 어제 소고기가 더 생각난다. 일단 왔으니 인증샷은 필수다.

한국분이 자기는 오늘 바로 에토샤 국립공원으로 바로 출발한다는데 너무 늦은 출발이라 도로도 많이 위험하다고 말렸지만, 우리 셋은 스와코프문트에 남기로 하고 그분은 바로 에토샤로 출발했다. 걱정은 됐지만 본인의 결정이라 더 이상 말릴 수가 없었다. 다행히 에토샤 국립공원 잘 보고 차도 문제 없이 반납하고 여행을 잘하고 있다고 연락을 받았다. 우리 셋은 다음 날 듄7이라는 곳에서 쿼드바이크를 타기로 했는데 이것 여기 오면 완전 강추다. 모래언덕을 오르락내리락하고, 비탈길 옆으로 달리는데 이거 굉장히 재미있다. 오토바이를 운전하던 게 몸에 배서 몸으로 움직이려 하면 안 되고 핸들로 조작해야하는데 금방 적응이 된다. 그리고 마지막은 샌드보드다. 역시 사막에 왔으면 샌드보드는 무조건 해봐야 하지 않을까. 나무판자 하나 배에 깔고 슝하고 내려오는데 재미있다. 쿼드바이크&샌드보드 콤보, 요거 스와코프문트에 가면 꼭 해보길 추천한다. 정말 재미난다.

택시를 타고 돌아오는 길에 운전사가 여기 현지인들 사는 곳을 구경시켜준다고 가는 길인데 보여준단다. 스와코프문트에서 일하는 많은 사람들이 대부분 여기에 산다고 하는데 양철판지로 대충 새워 만든 집들이 대부분이고 스와코프문트 시내와는 전혀 다른 모습이었다.자기 집도 여기란다. 보다보니 내 어린 시절 무허가촌에서 살던 때가 기억이 났다. 여름에 장마철이 되면 무조건 지붕 끝까지 잠기고 우리 동네 사람들은 근처

초등학교로 피난을 가야 했다. 매일 나라에서 주는 사발면과 빵과 우유를 먹으며 물만 빠지기를 기다렸던, 어린 우리들은 학교안 간다고 집이 잠겨도 좋다고 놀던 그 시절이 그립다. 그때 어찌 살았던 너무나도 가난했던 시절이었지만 꿈이란 단어만은 언제나 잊지 않고 살았었다. 그 꿈이 안 이루어지면 어떠냐. 안 이루어지더라도 꿈이라도 마음대로 꿀 수 있다면 그러다가 이룰 수 있다면 좋고, 나의 꿈은 그 어린 시절에도 내가 가보지 못한 곳에 대한 호기심으로 가득해서, 세계여행이 내 꿈이었다. 아직도 난 내 꿈을 조금씩 이루어나가고 있다. 꿈을 이루어나가면서 잃어버리는 것도 있지만 그 잃어버리는 것에 대해 후회하지는 않을 것이다.

우리는 파도가 치는 해변으로 왔다. 돌고래 몇 마리가 벌써 그 파도위에 있었고, 우리는 그 미친 파도로 뛰어들었다. 우리는 미쳤나 보다. 파도로 뛰어들자마자, 거대한 파도에 안면을 강타당하고 바로 꼬구라졌다. 싸다구를 제대로 맞은듯하다. 물은 또 얼마나 차갑던지. 얼굴하고 몸이 빨갛다. 그래도 좋다.

이렇게 스와코프문트에서의 시간이 끝나갔다. 잭과 게리는 다음날 빈트후크에서 인터케이프버스를타고 남아공 케이프타운으로, 나는 아프리카 단톡방에서 알게 된 사람들하고 나미비아를 조금 더 여행하기로 했다. 사실 잭,게리랑 같이 남아공가서 서핑이나 탈까도 생각했지만, 먼저 약속한 거라, 약속은 소중한 거니까 지켜야지.

빠이빠이~ 잭과 게리, 그동안 넘 재미있었다.

다시 빈트후크로
그리고 **에토샤 국립공원**(Etosha National Park)

그들을 떠나보내고 다시 혼자다. 빈트후크에서 만나기로 한 친구들은 아마 지금쯤 보츠와나 마운쯤 도착했으려나. 또 어떤 여행이 기다리고 있을까나.

다음 날 저녁 늦게 그 사람들이 렌터카를 몰고 내가 묵고 있는 숙소로 왔다. 잠비아 리빙스톤에서 시작해서 남아공에서 반납하는 거로 빌렸는데 차가 우리 셋이 타고 다니기에는 꽤 크다. 6명은 충분히 타고 다닐 수 있을 것 같은데, 여행이 끝나고 리빙스톤에서 반납하는 여행자가 있어 그 차를 다시 받아서 왔는데 이렇게 되니 그 사람도 우리도 1 way 비용을 줄일 수도 있었고 렌트 가격도 저렴하게 빌릴 수 있었다. 중간에 몇 사람 더 조인되면 완전 최고의 조건이다. 이 친구들은 남미여행에서 만나 아프리카까지 왔는데 이들도 여기가 마지막 여행지란다. 여행을 다니다 보면 세계여행을 다니는 젊은 친구들을 많이 볼 수 있는데 나도 20대 대학생 때 이런 세계를 미리 알았다면 좋았을 텐데.공부도 다 때 가 있듯이 여행도 다 때가 있는 것 같다. 1살이라도 젊을 때 많은 추억을 만들어보자.

다음 날 일찍 에토샤 국립공원으로 출발했다. 문제는 에토샤 국립공원 내 캠핑장은 인기가 많아 한 달 전에 예약을 하지 않는다면 자리가 없다는 것이다. 이 친구들도 역시 배낭여행자의 마인드다. 가면 어찌 되겠지.

역시나 도착했더니만 자리가 없단다. 차에서라도 자면 안 되냐니까 씨알도 먹히지 않는다. 첫 번째 캠핑장인 Okaukuejo 는 패스, 바로 Halali 캠핑장으로 이동 여기서는 어떻게 됐든 간에 일박을 해야 한다. 시간이 늦어 캠핑장을 나가지도 못한다. 일단 리셉션으로 갔다. 역시나 자리는 없단다. 씨알도 안 먹힌다. 일단은 캠핑장을 둘러보기로 빈자리가 있나 먼저 탐색을 하기로 했다. 5군데의 자리가 비었다. 캠핑장문을 닫는 시간이 20분 남았다. 20분후 문 닫기 전 까지 아무도 오지 않는다면 가능성은 있다. 일단 문 앞에서 들어오는 차가 있나 보는데 10분 남기고 차들이 우르르 들어온다. 하나, 둘, 셋, 넷, 다섯, 꽉 찼다. 그래도 물어나 보자. 어떻게 할 것인가, 캠핑장에서도 우리를 내보낼 수가 없다. 저 야생동물들이 우글거리는 곳으로 설마 우리를 내보내지는 않겠지, 리셉션으로 다시 갔다.

"빈자리 없나요?"

아까는 너무 단호했는데 지금은 표정이 너무 부드럽다. 기다려보란다. 야외근무자에게 무전으로 연락해서 빈자리가 있는지 알아봐 준단다. 우린 차에서 자도 되는데, 자리가 없어도 여기에 묵기만 하면 된다. 저녁에 동물들이 워터홀로 물마시러 오는 것만 보면 된다.

잠시 후에 작은 자리가 있는데 거기라도 괜찮다면 사용할 수 있단다. 역시 어떻게든 된다. 그래도 가능하면 꼭 예약하고 오길 바란다. 일찍 와서 수영장에서 놀고 고기도 꿔 먹고 낮잠도 좀 자고 저녁에 여유롭게 동물들 구경하는 편이 좋지 않나 싶다. 아님, 어떻게 되겠지 아님 말고 란 마인드로, 책임은 본인의 몫이다. 저녁을 먹고 워터홀로 걸어갔다. 아직 아무것도 없이 텅 빈 워터홀뿐이었다. 점점 어두워지자 코뿔소 한 마리가 물을 마시러 걸어오는데, 우와! 이런 장면을 어디에서 또 볼 수 있단 말인가. 잠시 후에 한 마리, 한 마리씩 늘어나더니 여섯 마리나 몰려들었고 하이에나 등 여러 동물들이 물을 마시러 모여들었다.

오길 잘했다. 태어나서 언제 이런 걸 또 볼 수 있을까. 그들이 물을 마시는 걸 한참을 보다 보니 왜 이리 맥주가 땡기냐. 우리도 목을 축이러 우리 사이트로 돌아와서 캠핑의 꽃인 바비큐를 하기 위에 장작에 불을 지폈다. 역시 나미비아 소고기는 진리다. 역시나 실망을 주지 않는 나미비아 소고기는 아무리 먹어도 질리지 않는다. 거기에 이 친구들이 가져온 쌈장, 고추장, 참기름, 라면스프, 고춧가루, 한국카레 이 정도면 퍼팩트하지 않나 싶다. 너무 오랜만에 맛보는 이 매콤함은 얼마만 이던가. 한국인은 역시 얼큰한 게 들어가야 뭐 좀 먹는구나 라는 느낌이 나는 것 같다. 고기를 다 해치우고 바로 얼큰한 라면으로 바로 들어갔다. 아마추어같이 먹는데 중간에 끊기는 그런 일은 절대 없어야 된다. 먹을 때는 쭈욱 이어서 고기를 3분의 2이상 먹었을 때 바로 라면을 올려야지 조금만 늦더라도 끊길 수가 있으니 주의하기 바란다.

이때 연인들이면 꼭 싸우는 게 있는데 물이 끓고 수프가 먼저냐 라면이

먼저냐, 라면을 쪼개서 넣냐, 통째로 넣냐 인데 라면봉지에 보면 물이 끓으면 라면 통째로 넣고 스프를 넣으라고 돼있던데, 왜 이런 것으로 시비를 거는 건지, 나도 연애할 때 이 일로 한번 대판 싸운 적이 있는데, 그럴 거면 자기들이 라면을 끓이던가 왜? 남자들한테 끓여달라고 해놓고 시비를 걸까. 그래도 싸워도 좋은 게 연애 시절인데 그때가 좋을 때다.

라면까지 다 해치우니 배가 터질 것 같다. 좀 걸어야 할 것 같다. 다시 워터홀로 천천히 걸어갔는데 성격 까칠한 코뿔소 한 마리가 워터홀을 독차지하고 있었다. 누구 하나 와서 물먹는 꼴을 못 본다. 지는 안 먹으면서 워터홀 근처만 오면 달려들어서 쫓아버린다. 뭐 저런 놈이 있냐. 다른 동물들이 오려고 해도 저놈 때문에 오긴 글렀다. 사자나 한두 마리 와야 이

상황이 해결 날 듯 싶은데, 사자는 어디에 있냐 오바!

다음 날 일찍부터 국립공원지도를 하나 사서 워터홀을 찾아다녔는데 얼룩말 등 초식 동물만 엄청나게 보일 뿐 육식동물이라고는 사람밖에는 보이지 않았다. 나랑 야생사자 중 누가 고기를 많이 먹었을까, 사자도 많이 먹었겠지만 나도 그 못지 않을 텐데 그래도 그 친구는 바로잡은 신선한 고기를 먹고 자라서 저리 튼튼한가 보다. 지도에 표시된 워터홀은 죄다 찾아다녔지만 거기가 거기다. 좀 지루함이.

배도 고프고 해서 Okaukuejo 캠핑장으로 갔다. 여기서 간단히 라면 4개에 계란 3개를 넣어서 끓여 먹고 소화도 시킬 겸 이곳의 워터홀 구경을 갔는데 여기가 좀 더 넓고 좋아 보였다. 이쪽 동물들이 더 다양했고 잠시후에 코끼리 여러 마리가 물을 먹으러 오는데 이것 또한 장관이다. 여기서도 삐대다가 1박을 할까도 생각했는데 두 번이나 하려니 귀차니즘이 몰려온다. 문 닫기 전에 나가서 시내에서 1박하기로 했다.

폭신한 침대가 이리 좋다. 오랫동안 침대 생활을 한지라 바닥보다는 침대가 편해서 한국에서도 온돌보다는 침대를 더 선호하는 편이다.

이 친구들은 스와코프문트 쎄스림을 안 가봤기 때문에, 내일 다시 이 친구들과 그곳에 가기로 했는데 쎄스림 2번 듄45도 2번 방문한 한국인은 그리 많지는 않을 것 같다. 다시 두 번 가도 좋은 곳이 스와코프문트라 이번엔 그때 안 가봤던 웰비스베이 홍학을 보러 갔는데 이번에도 돌고래를 볼 수 있었다. 돌고래를 보면 행운이 온다는데, 예쁜 여자친구를 만났으면 하는 바람이 가득하다. 언제쯤 인연을 만나려는지…….

나미비아의 마지막 여정지,
피쉬 리버 캐니언(Fish River Canyon)

나미비아의 마지막 여정지, 피쉬 리버 캐니언으로 향했다. 그런데 이놈의 길은 언제쯤 좋아지려나 가도 가도 비포장길이고 사막이다. 근데 풍경 하나는 기가 막히게 좋다. 언제 또 이런 걸 보겠냐. 그런데 길이 너무 안 좋다. 그러다가 차가 미끄러지며 한 바퀴 돌았다. 휴~~ 안 뒤집어진 게 어디냐. 살짝살짝 미끄러지고 중간에 가다가 반 바퀴 정도 도는 건 이제 아무렇지도 않다. 뒤집어 지지만 말자. 언제쯤 길다운 길을 보게 될 수 있을까. 너무 통통 튀다보니 잠시 내릴라치면 땅에 서 있는데도 몸이 붕붕 떠 있는 느낌이다. 해가 지기 전에 숙박할 곳을 찾아야 될 텐데 maps.me로 찾아봤지만 가까운 거리엔 숙소라고 할 만한 곳이 보이질 않았다. 그나마 작은 마을로 들어가서 물어보면 가격이 어마어마하다. 더 가 보자, 더 가

보자 한 게 벌써 어두워지고 다크써클은 입까지 내려왔다. 그러다보니 피쉬 리버 케니언 근처 1시간 거리의 공항이 있는 도시다. 더 이상 갈 때도 없다. 조금만 더 가면 남아공 국경인데, 7시가 다 돼서야 도착했다. 다행히 가격도 숙소도 마음에 들었다. 오늘은 피곤해서 도저히 못 만들어 먹겠다. 여기 오다가 봤던 패스트푸드점에서 햄버거랑 피자랑 맥주가 오늘 우리의 저녁이다. 피곤에 다들 쩔고 쩔었다. 내일 근냥 쉬고 내일모래 피시 리버 케니언 보러 갈까도 생각했었는데, 아침에 일어나보니 마음이 바꿔었다. 피쉬 리버 캐니언으로 출발, 1시간 거리의 피시 리버 케니언은 나미비아의 마지막 여정지다. 세계 3대 캐니언 중의 하나, 미국의 그랜드캐니언 다음으로 크다고 그러던데, 세계 3대 무엇이라고 하는 말에 나는 넘약하다. 안 가 보면 안 되는 곳이 아닌가. 갈 곳은 많고 통장은 배고프다. 로또나 1등 됐으면 아무 걱정 없이 여행만 평생 다닐 텐데. 역시 여기는 나미비아 여행에서 빼면 안 되는 곳이다. 웅장함이 쩐다. 아무렇게 찍어도 화보다. 내가 안 나온다면 말이다.

사진에서 모델의 중요성을 내가 나온 사진을 보며 뼈저리게 느낀다. 그래도 왔다는 증거는 남겨야 하지 않나. 오늘은 나미비아의 마지막 날 국경 근처 자그마한 마을에서 하루 쉬고 내일 남아프리카로 넘어가기로 했다. 나미비아 돈도 조금 남아있어 세차도 하고 기름도 풀로 채우고 오늘 저녁은 식당에서 만찬을 즐기기로 했다.

사고 없이 여기까지 무사히 온 것에 감사했고 하루하루 행복했던 시간을 같이해준 이 친구들에게 고마웠다.

다음 날 아침 남아공으로 출발하려니 뒷바퀴가 펑크가 난건지 바람이 빠져 있었다. 숙소 주인이 에어 컴프레셔가 있어서 다시 바람을 넣어봤는데, 피익 하고 소리가 났다. 누가 못으로 찌른 것처럼 구멍이 나 있었다. 어제까지 멀쩡했는데 차라리 다행이다. 주행 중에 펑크가 났으면 사고가 났을 수도 있고 바퀴 가느라 무척 고생했을 수도 있다. 스와코프문트에서 봤던 행운의 돌고래가 지켜준 거라 대충 얘기를 껴 맞추기로 하자. 숙소 옆 주유소에서 타이어펑크도 수리해준단다. 그 김에 차 내부까지 청소하기로 하고 했는데, 우리가 청소를 하려고 했는데 그 분들이 타이어 수리부터 차량 내부 청소까지 해준단다. 나미비아의 마지막 날까지 이분들 덕에 끝까지 좋은 추억 가지고 가는 것 같다. 타이어 수리비에 청소비 음료수까지 사드렸는데 우리도 좋고 이 분도 기분 좋고, 완전 새 차를 타고 가는 느낌이다.

나미비아 빠이빠이.

여행 팁

· 스와코프문트
아프리카 여행 중 잔지바르 다음으로 아름다웠던 곳이었다. 예전 안젤리나졸리, 브레드 피트가 출산을 위해 오랫동안 머물렀던 곳이기도 한데 액티비티또한 유명한 곳이기도 하다.
· 쿼드바이크, 샌드보드, 스카이다이빙은 강추다.
· 나미비아는 소고기가 정말 맛있다. Sirloin , rip-eye ,chicken 사셔서 아무 양념 없이 장작불에 통후추를 갈아서 뿌리고 소금만 뿌려도 맛이 예술이다. 아프리카 에서 오직 나미비아에서만 맛 볼 수 있는 최고급 소고기를 캠핑 갈 때 꼭 먹고 오길 추천한다.

숙소추천

빈트후크 Chameleon backpackers
스와코프문트Swakopmund Backpackers

10.
남아프리카 공화국(Republic of South Africa)

· www.intercape.co.za

남아공에서 나미비아 빈트후크까지 갈 수 있는 버스인데
2017년 여행 당시 다른 노선은 버스회사 사정으로 운행하지 않았다.

· 시티투어버스(www.citysightseeing.co.za)
블루, 옐로, 퍼플, 레드라인으로 케이프타운 구석구석을 돌아 볼 수 있는 버스이다.
여럿이면 렌터카가 가장 좋지만 혼자라면
시티투어버스를 이용해서 여러 곳을 구석 구석 다닐 수 있어 편하다.

· www.bazbus.com
가든 루트 등 여러 가지 투어시스템과 타임테이블, 이동경로가 나와 있습니다.

· 렌터카
남아공을 여행하는데 가장 좋은 방법인데
아프리카에서 가장 길도 잘 되어 있고
시간에 구애 받지 않고 편하게 이동할 수 있는 장점이 있다.

케이프 타운(Cape Town)

드디어 남아프리카 공화국이다. 이번 여행의 마지막 나라, 역시 잘사는 나라라 틀리다. 도로가 완전 좋다. 이젠 사막뿐이었던 길에서 파란 풀이 보이기 시작한다. 그리고 나무가 보이고 강이 보인다. 그리고 엥! 귤 밭이다 웬 귤. 여기는 귤이 유명한지, 어디를 가나 귤을 볼 수 있다. 귤이 우리나라 한라봉을 닮았는데 맛도 비슷하다.

우리나라 돈 1,000원 정도에 20개 정도를 주는데 맛이 일품이다. 남아공 들어와서 처음 맛 본 음식이 귤인데 남아공여행도 이 귤 맛처럼 신선하지 않을까란 기대감이다. 케이프 타운으로 Go Go!

남아프카공화국은 지금까지 봐 오던 아프리카의 다른 나라와는 전혀 다른 모습이다. 그냥 유럽이라고 하면 될 것 같다. 누가 여기를 아프리카

라고 생각할까? 사실 다른 아프리카의 나라들도 우리가 봐오던 그런 원시의 모습이나 동물의 왕국에서 보는 것처럼 아무데서나 동물이 뛰어놀고 그러진 않긴 하지만 말이다.

케이프타운 하면 생각나는 것 '테이블 마운틴' 이다. 숙소를 바로 테이블 마운틴 아래 있는 가정집을 잡았는데 오늘은 날씨가 꾸질꾸질하다. 하루종일 비에 테이블마운틴은 구름으로 둘러싸여 아무것도 보이질 않았다. 테이블 마운틴은 날씨가 좋아도 구름이 많은 날은 올라가 봐야 아무것도 보이지 않는다. 날씨가 좋다고 일찍 올라가면 도시 쪽으로는 역광이라 사진 찍기에는 좋질 않다. 12시 이후에 천천히 올라가서 카페에서 커피도 한잔하면서 쉬엄쉬엄 보는 게 가장 좋은 방법인 것 같다. 테이블 마운틴은 바람이 불지 않으면 따뜻하고 좋지만 바람이 불고 날씨까지 안 좋은 날에는 꽤 추운 곳이다.

테이블 마운틴을 두 번 올랐는데 처음엔 케이블카를 타고 올라갔는데 날씨는 쨍쨍 이었지만 구름이 많아서 아무것도 보이질 않았다. 가끔 보이는 바다와 케이프타운 씨티, 그리고 너무 추웠다. 사진을 찍어도 구름 때문에 영~~ 꽝이다. 두 번째는 아침에 일어났더니만 구름이 한 점 없다. 바로 물만 챙겨서 올라갔는데 이번엔 케이블카 근처 등산로로 걸어 올라갔다. 쉬엄쉬엄 가도 1시간 30분 정도면 올라갈 수 있는데 계속 오르막이라 약간 토 나올 정도다.

구름 한 점 없는 테이블 마운틴에서 바라보는 뷰는 올라와 봐야 알 것 같다. 설명이 필요 없는 정말 아름다움 그 자체다. 케이프타운은 테이블 마운틴만 올라와도 반은 본 거나 다름이 없지 않을까, 그냥 내 생각이다. 그리고 이런 날은 야경도 콤보로 봐야 하지 않을까. 저녁에 시그널 힐로 올랐다. 저녁에 시그널 힐은 강도들이 자주 출몰한다기에 긴장하며 올랐지만, 자전거를 타고 오르는 사람까지 의외로 사람들이 많았다.

그래도 여기 올 때는 혼자 오지 말고 여럿이 떼 지어서 올라오는 게 좋을 것 같다. 좀 컴컴하긴 하다. 어제도 혼자 올라온 한국 분이 털렸다고 단톡방에 올라왔으니 조심하길 바란다. 다음 날은 볼더스 비치 펭귄보고, 그 유명한 희망봉으로…….

그런데 볼더스 비치 펭귄을 보러 갈 때 입장료가 좀 비싸다. 입장료가 아깝다면 티켓오피스 옆으로 산책로가 있는데 그곳에 가도 펭귄은 충분히 볼 수 있으니 참고하길 바란다. 나는 입장료 내고 들어갔는데 돈이 너

무 아깝다. 희망봉으로 출발, 희망봉은 5시에 문을 닫기 때문에 2시 전에 도착하는 게 좋은 것 같다. 시간을 넘긴다면 벌금이 꽤 많기 때문에 시간에 유의하자. 희망봉에서 보는 풍경도 아름다웠지만 케이프 포인트의 바다는 영화 한 장면처럼 너무 아름다운 모습이다. 실제 모습이라기보다 아름다운 영상을 틀어놓은 듯하다. 아름다운 바닷길을 따라가다 보면 가끔 운 좋으면 고래도 볼 수 있다는데 이번 여행은 돌고래로 만족해야 할 듯싶다. 오늘은 넬슨 만델라가 옥살이했던 섬으로 유명한 로벤섬으로 가려 했는데 파도가 강해서 모든 배편이 취소가 됐다. 그래서 고래가 자주 출몰한다는 허머너스로 출발하기로 했다. 외국 친구들은 고래를 봤다고 사진도 찍어서 보내왔는데 허머너스 도착 즈음 날씨가 흐려지더니만 비가

쏟아지기 시작하는데 점점 더 강하게 쏟아진다. 어제도 고래를 봤다는데, 한두 시간이 지나도 비는 그치지 않고 너무 추워진다. 고래와는 인연이 아닌 듯싶다. 더 어두워지기 전에 케이프타운으로 돌아와야 했다.

이제 3개월간의 아프리카 여행이 끝나간다. 남는 시간 동안 가든루트로 갈까 생각했지만 바다는 이번 여행에서는 충분히 본 것 같아 안 가기로 했다. 지난 시간의 기억을 떠올리며 밀린 여행일기를 쓰기로 했다.

여행하며 처음으로 가져온 노트북을 이제 쓸 때가 된 것 같다. 이 무거운 걸 내가 왜 들고 왔을까? 영화 보려고! 남들 빌려주려고! 다신 노트북을 안 들고 다니련다. 그런데 노트북 넣고도 배낭의 무게가 7킬로그램이다. 일기를 쓰려는데 30분쯤 써 내려갔을까. 졸음이 쏟아진다. 내 집중력의 한계 시간 30분.

졸음을 깨기 위해 롱스트리트로 나갔다. 배가 고파 헝그리 라이온에 가서 햄버거를 하나 사 먹고 지하에 있는 마트에가서 오늘 저녁에 먹을 고기를 사고 숙소 근처 와인샵에서 맥주를 샀다.

그러다 보니 저녁을 먹을 시간이다. 고기를 굽다 보면 새로운 여행자들이 오는데 그때 꼭 묻는 말이 있다.

"Where are you from?"

그리고 같이 술 한 잔하다 보면 밤 12시다. 모두 여행자들이라 금세 친해지고 비슷한 루트로 여행했다면 공통분모가 많기 때문에 며칠을 얘기해도 대화가 끊기질 않는다. 그러다가 친해지고 술 한 잔 하다 보면 다음 날 또 새로운 여행이 생길 때가 많아진다.

나도 여행 다니며 게스트하우스에서 처음 만난 여행자들과 술 한 잔하며 다음 날 루트가 바뀐 게 한두 번이 아니다. 혼자 다니는데 여행 루트가 뭐가 그리 중요하겠는가. 때론 낯선 길에서 만난 어떤 여행자의 길이 나의 길이 될 수도 있다. 아름다운 인연을 만난다면 그와 어디를 가든 좋지 않을까 생각한다. 여행을 다니다보면 가끔씩 어디를 꼭 가야 하고 어디를 다 보기 위해서 콕콕 찍으면서 아무것도 기억나지 않는 여행을 하는 사람들이 있다. 그냥 여행만이라도 여러 곳을 안 다니더라도 마음이 쉴 수 있는 행복한 시간을 가졌으면 어떨까 한다.

배낭 여행에서 무엇을 꼭 해야 할 필요는 없다. 여행하는 시간만큼이라도 행복하고 아름다운 꿈같은 세상에 푹 빠졌다가 오면 어떨까 한다. 여행은 다시 내 자리로 돌아오기 위해 떠나는 거라 언젠가는 현실로 돌아와야 하겠지만 그 소중한 추억이 내 삶에 커다란 힘이 되지 않을까 한다.

그 자리가 무엇일지는 모르지만, 여행을 피난처로 생각하고 그냥 사회가 두려워 떠도는 영혼들이 많이 있다. 여행에 이유를 달기는 좀 그렇지만 '지금의 내 삶을 회피하기 위해 떠나는 여행은 그 여행이 행복할까?' 라는 생각이 든다. 언제나 떠날 때는 행복하게 돌아올 때는 한숨이 나오겠지만 다음 여행을 기약하며, 취직과 동시에 다음 여행 계획을 세운다면 몇 년은 버티지 않을까?

3개월 간의 아프리카 여행을 마치며.

여행 팁

· 테이블 마운틴 오르실 때 구름이 많으면 아무것도 안 보인다. 제일 좋은 방법은 아침 에 일어나서 구름 한 점 없는 것을 확인하고 11시 넘어서 천천히 가서 구경 후 마지막 케이블카를 타고 내려오거나 걸어 내려온다. 날씨 좋다고 너무 일찍 가면 케이프 타운 쪽 바다가 역광이라 사진이 어둡게 나온다. 정상은 바람 불면 추우니 갈 때 패딩 꼭 가져가야 한다.

· 희망봉은 5시쯤에 문을 닫기 때문에 2시 전에 도착해서 구경 하는 게 좋다. 시간 넘으면 벌금이 있으니 일찍 가길 추천한다.

· 라이온힐 야경 보러 갈 때 혼자 가면 강도를 만날 가능성이 많다. 한국이라도 혼자 안 갈 것 같은 곳인데 꼭 혼자 가는 분이 있다. 그것도 걸어서! 여행에서 하지 말라는 건 안 하는 게 좋다.

· 케이프타운 근교를 여행한다면 길이 잘 되어 있어서 렌터카로 돌아다니는 편이 투어보 다는 좋은 것 같다. 투어로 정해진 시간만큼 보고 아쉽게 돌아보는 것보다 바닷가로 피크닉도 한 번 가보고 커피 한 잔의 여유 그리고 맛난 식당에서 칼질도 한 번 해보고 여럿이라면 렌터카 여행 추천한다. 운전은 늘 조심해야 한다.

숙소추천 케이프타운-never@home

나만의 여행수칙

여행에서 가장 소중한 건 나의 안전이다. 여행 왔다고 너무 들떠버려서 사고당하는 일은 없도록 하자.

하지 말라는 것과 가지 말라는 곳은 가지 말자. 인도 여행을 할 때다. 바라나시 갠지스강에서 수영하지 말아라, 개한테 먹을 것을 주지 말아라. 그렇게 말을 해도 돌이킬 수 없는 사고를 당하는 사람들을 본 적이 있는데 그게 뭐라고 목숨까지 걸 필요까지는 없지 않나.

밤늦게까지 혼자 술 먹고 돌아다니지 말자. 여럿이면 모르겠지만 혼자 술집에서 술을 마시다가 일 당하는 사람 여럿 봤다. 여행지에서 현지인 또는 처음 보는 사람들과 어울리다 맥주병이나 음료수에 약을 타서 털리기만 하면 다행인데 목숨을 잃거나 여자분들은 안 좋은 사고를 당하기도 한다.

여행 다니며 남이 주는 음료 등은 가능한 삼가자. 기차여행, 버스여행, 택시투어 등 음료에 약을 타서 범행을 하는 경우가 많다.

현지에 가서 현지인 친구 만났다고 그가 어디 구경시켜준다거나 집에 놀러오라고 했을 때 꼭 가야 한다면 혼자 가지 말고 여럿이 가는 것이 좋다. 한 지인은 태국 카오산의 왕궁에 갔는데 혼자 여행을 왔다며 같이 다니자고 접근해온 사람이 있었다고 한다. 그리고 그 친구의 집에 놀러갔는데, 맥주 한 잔을 마신 뒤로 기억이 없단다. 그리고 택시를 타고 밤늦게 숙소로 왔는데 여기는 어떻게 찾아왔는지 눈이 풀리고 정상이 아니었다. 복대는 전부 털리고 여권까지 다 없어졌다고 한다.

여행지에서 가능한 현지인과의 시비에 휩싸이지 말자. 싸우지 말고 빨리 벗어나자. 예전 사소한 시비로 가게 주인과 말싸움이 벌어졌는데 갑자기 현지인들이 우르르 몰려들더니 우리에게 가게 물건을 집어 던졌다. 몰려든 사람들 눈빛이 장난이 아니었다. 그 상황에 우리 쪽에서 원펀치 날렸으면 우린 거기서 유명을 달리했을 것 같다. 절대로 싸우지 말고 열 받는 상황이라면 주변 상황을 잘 보고 여럿이 가서 얘기하고 안 되면 경찰서로 가자. 경찰서로 가면 자연스럽게 해결될 때도 많으니 해외에서 다툼은 가능한 피하자.

여행에서 여권, 돈, 카드 등이 들어가 있는 복대는 여행 끝날 때까지 내 몸의 일부라고 생각하자. 나는 숙소에 안전보관함이 있으면 모르겠지만 없다면 샤워할 때나 잠잘 때도 어디를 가든 무엇을 하든 항상 복대를 내 곁에 뒀다. 타지에서 여권이나 돈을 잃어버린 다면 정말 골치 아프다. 경찰서로 가서 리포트를 쓰고 대사관을 찾아가고 여권이 발급될 때까지 빠르면 일주일을 그곳에서 보내야 된다. 그리고 다시 이민국에 가서 비자 받는 등 절차가 복잡하다. 그 나라에 한국 대사관이라도 있으면 좋은 데 없는 경우 일은 정말 복잡해진다. 여행을 다니며 복대는 언제나 나와 함께 지녀야 한다는 것을 잊지 말자.

에피소드가 많아야 재미있는 여행이라고 생각하는 사람들이 있다. 그러나 에피소드를 일부러 만들려고 하지는 말자. 여행하다가 일어나는 일들이지 일부러 만들려고 하면 무리하다가 사고 난다. 에콰도르 키토를 여행할 때였다. 밤늦은 시간은 위험하고 빠네시죠 언덕은 걸어 올라가지 말라는 경고가 있었다. 그런데도 왜 밤늦게 다니다가 길가에서 목 졸림 당해서 털리고 그 언덕을 걸어 올라가다가 강도를 만나서 몸에 칼자국을 남기는지 모르겠다. 그런 게 여행 추억이라 생각하는 건지.

잊지 말자. 당신은 죽으면 끝이겠지만 당신의 부모님은 평생 고통 속에 살아야 한다. 당신의 차디찬 시신을 데려오기위해 말도 안 통하는 그 나라에 가서 얼마나 힘들어할지 생각해 보자.

우버 (스마트 앱을 이용해 교통편을 이용할 수 있는 서비스인데 차량번호, 모델, 기사의 얼굴까지 확인이 가능하기 때문에 여행지에서 안전하고 편하게 이용할 수 있는 앱) 등으로 차량을 예약한다면 꼭 차종, 번호판, 운전사까지 확인한 후에 탑승해라.

이번 남아프리카 공화국에서 새벽 5시에 우버를 불렀는데 우버가 근처 도착했다고 연락이 와서 숙소 앞을 나갔다. 바로 차가 한 대 오더니 타라고 한다. 우버라고 말하니 자기라고 한다. 하지만 차량도 틀리고 번호 운전사도 다르다. 그래서 바로 다시 숙소로 들어갔다. 아마 탔다면 떠나는 날 깔끔히 털리고 잘못될 경우 이 세상과 빠이빠이했을 수도 있을 거다.

장거리 버스를 타야 할 경우 큰 배낭은 짐칸에 넣어야 하는 경우가 있는데 여권, 카메라 등 중요한 물품은 꼭 가지고 타자.

태국 여행할 때였다. 끄라비에서 방콕으로 올 때였다. 새벽에 도착해서 버스 승무원이 짐을 밖으로 던지듯이 빼고 떠났는데 한국분 한 분이 자기 배낭을 들더니 너무 가벼워졌단다. 바로 배낭을 열어보니 짐의 절반이 사라져 버렸다.

이 책의 내용은 2017년 5월부터 7월까지 여행을 다니며 직접 경험한 이야기다. 아프리카는 언제 무엇이 바뀔지 모른다. 이 책은 여행시에 참고자료로 사용하길 바란다. 현지에서는 새로운 정보에 맞춰 다니는 게 좋다. 여행이란 언제 변수가 생길지 모른다. 숙소나 투어 등 필자에게는 좋았지 다른 사람들은 그렇지 않을 수 있다. 필자가 싫어한 곳이 다른 사람들은 좋을 수도 있으므로 여행에서 선택은 개인의 판단에 따라야 할 것이다. 여행에서 가이드북은 참고 자료이지 무조건 따라야 하는 건 아니다. 더 좋은 방법을 찾을 수도 있고, 더 좋은 정보가 생길 수도 있다.

글을 마치며

여러 나라를 여행하며 하루하루가 너무 행복했다. 과거가 된 지금은 그 추억으로 하루하루를 견디며 다시 떠날 날을 기다리며 살고 있다.

오래전에는 재산이 많으면 행복할 것 같았다. 남들의 눈에 보이는 내가 중요해 보였다. 남들이 부러워하는 직장, 무조건 가야 되는 대학이 우선이었다. 결혼하기 위해 월급으로는 구매하기 불가능한 집을 사기 위해 죽으라고 일했다. 아무리 일을 해도 채워지지 않는 통장을 보며 미래에 대한 두려움으로 술을 마셨다. 그렇게 살다보니 내 얼굴의 근육들이 웃을 때 어떻게 웃어야하는지 기억을 못하는 것 같았다.

첫 해외여행을 다녀와서 사진을 정리하며 늘 웃고 있는 내 모습을 보며 내 삶에 대해 많은 생각을 하게 됐다. 행복하기 위해 떠난 여행이 삶이 되어 지금의 내가 되어 버렸고 지금은 요리사라고 말하기가 부끄러울 정도로 여행 경력이 요리 경력을 넘어서고 있다.

지금은 여행 요리사라고 해야 할까! 가끔 실패할 때도 있지만 그래도 여행지에서 만들었던 요리들이 나름 그동안 만났던 여행자들에게 감동을 여러 번 안겨주었다.

하나에 너무 집중하다 보면 다른 무엇을 잃게 된다. 여행에 흠뻑 빠지는 것도 좋지만 다시 자신의 자리로 돌아오는 것도 중요하다. 여행이란 중독에 빠져 그냥 세상을 떠도는 영혼들이 많다. 능력이 된다면 좋겠지만 사회에 적응하지 못해 그저 떠돌다가 자신의 감옥에 갇혀버려 여행이 피난처가 되어버릴 수도 있다.

나도 그렇게 떠났던 여행이 한 번 있었다. 떠나야 살 것 같아 외국어 한 마디 못하는 채로 가고 싶은 마음도 하나 없이 지금이 싫어 떠났었다. 하지만 마음 없이 떠난 여행이 즐거울 리가 없었다. 설렘 또한 전혀 없었다. 다녀와서도 마음을 잡지 못해 한국을 떠나기로 했다.

이민을 가기 위해 어학연수를 다녀왔는데 그곳에서 사람들을 만나며 내 마음을 정리할 수 있었다. 모두들 한국을 그리워하고 있었다. 그분들도 떠나면 꿈이 펼쳐질지 알았는데 현실은 한국에 있을 때보다 더 열심히 일해야 한다고 했다. 사람 사는 건 어디나 다 똑같다고 자식들의 공부만 아니라면 한국으로 가고 싶다고 했다.

마음이 다시 돌아오는데 1년이라는 시간이 걸렸다. 전부라고 생각했던 여행이었지만 지금도 사랑은 하지만 버팀목은 아니다.

사랑하는 여행 때문에 자신의 인생이 흔들리지 말았으면 한다. 여행을 사랑하고 오래 전 여행 중독자였던 나의 생각이다.

세상 어디일지 모르지만 여행을 사랑한다면 행복한 그곳에서 만나요.

민달이의 아프리카 여행

초판 1쇄 발행 | 2018년 1월 22일

지은이 | 장민욱
펴낸이 | 공상숙
펴낸곳 | 마음세상

주 소 | 경기도 파주시 한빛로 70 507-204

신고번호 | 제406-2011-000024호
신고일자 | 2011년 3월 7일

ISBN | 979-11-5636-203-6 (03930)

원고 투고 | maumsesang@nate.com

ⓒ장민욱, 2018

* 값 12,500원

* 이 책은 저작권법에 따라 보호 받는 저작물이므로 무단 전재와 복제를 금지합니다. 이 책의 내용 전부나 일부를 이용하려면 반드시 저자와 마음세상의 서면 동의를 받아야 합니다.

* 마음세상은 삶의 감동을 이끌어내는 진솔한 책을 발간하고 있습니다. 참신한 원고가 준비되셨다면 망설이지 마시고 연락주세요.

국립중앙도서관 출판예정도서목록(CIP)

민달이의 아프리카 여행 / 지은이: 장민욱. – 파주 : 마음세상, 2018
p. ; cm

ISBN 979-11-5636-203-6 03930 : ₩12500

여행기[旅行記]
아프리카[Africa]

983.02-KDC6
916.04-DDC23 CIP2018000059